to make aware of

me rendre conscient de

Romain Gary

Le sens
de ma vie

Entretien

Préface de Roger Grenier

Gallimard

Romain Gary, né Roman Kacew à Vilnius en 1914, est élevé par sa mère qui place en lui de grandes espérances, comme il le racontera dans *La promesse de l'aube*. Pauvre, « cosaque un peu tartare mâtiné de juif », il arrive en France à l'âge de quatorze ans et s'installe avec sa mère à Nice. Après des études de droit, il s'engage dans l'aviation et rejoint le général de Gaulle en 1940. Son premier roman, *Éducation européenne*, paraît avec succès en 1945 et révèle un grand conteur au style rude et poétique. La même année, il entre au Quai d'Orsay. Grâce à son métier de diplomate, il séjourne à Sofia, New York, Los Angeles, La Paz. En 1948, il publie *Le grand vestiaire*, et reçoit le prix Goncourt en 1956 pour *Les racines du ciel*. Consul à Los Angeles, il quitte la diplomatie en 1960, écrit *Les oiseaux vont mourir au Pérou (Gloire à nos illustres pionniers)* et épouse l'actrice Jean Seberg en 1963. Il fait paraître un roman humoristique, *Lady L.*, se lance dans de vastes sagas : *La comédie américaine* et *Frère Océan*, rédige des scénarios et réalise deux films. Peu à peu les romans de Gary laissent percer son angoisse du déclin et de la vieillesse : *Au-delà de cette limite votre ticket n'est plus valable*, *Clair de femme*. Jean Seberg se donne la mort en 1979. En 1980, Romain Gary fait paraître son dernier roman, *Les cerfs-volants*, avant de se suicider à Paris en décembre. Il laisse un document posthume où il révèle qu'il se dissimulait sous le nom d'Émile Ajar, auteur d'ouvrages majeurs : *Gros-Câlin*, *La vie devant soi*, qui a reçu le prix Goncourt en 1975, *Pseudo* et *L'angoisse du roi Salomon*.

PRÉFACE

« Je pense ne plus avoir assez de vie devant moi pour écrire une autre autobiographie. » Ces paroles, dans cet entretien accordé par Romain Gary à Radio-Canada, *serrent le cœur. Peu de mois après l'enregistrement, il mettait fin à ses jours, le 2 décembre 1980.*

Si l'on retrouve, dans la présente transcription de cet entretien, bien des confidences, des anecdotes, des opinions déjà lues dans La Promesse de l'aube *et* La nuit sera calme, *il faut le considérer comme le dernier état de son autobiographie, ou tout au moins de ce qu'il a bien voulu dévoiler de l'ambition, des espoirs, des succès et des humiliations qui ont fait sa vie.*

Le pittoresque ne manque pas. Une jeunesse qui le trimballe, avec sa mère intrépide, à travers la Russie, la Pologne, la Lituanie, la France. Puis la guerre, l'Angleterre, l'Afrique. Ensuite une carrière diplomatique, de la Bulgarie à la Bolivie en passant par Los Angeles. Une vie plus mouvementée et pittoresque

que le plus extravagant des romans d'aventures. Un seul exemple : pour gagner la France Libre, rejoindre de Gaulle, il est obligé de passer par le bousbir de Meknès !

Bien sûr, un grand romancier ne peut s'empêcher de fabuler un peu et il faut prendre certaines histoires avec précaution. Gary évoque ainsi la dépêche diplomatique qu'il envoie de Berne au ministre des Affaires étrangères pour dire qu'il va neiger. Mais cette dépêche n'a jamais existé. En revanche, ce dernier entretien contient quelques aveux : comment Les Couleurs du jour *(1952)* et Les Clowns lyriques *(1979)* sont en fait le même livre. Je me souviens de notre embarras, chez Gallimard. Fallait-il lui signaler ou non que nous nous en étions aperçus ? Il pouvait se vexer. Et si l'on ne disait rien, il risquait de nous prendre pour des idiots.

La première fois que j'ai rencontré Gary – je ne me doutais pas qu'il allait devenir un ami si proche –, il venait d'avoir le Goncourt pour Les Racines du ciel, et il débarquait de Bolivie. C'était à l'hôtel Pont-Royal. J'étais journaliste à l'époque et le hasard fait que je suis allé peu après en Côte-d'Ivoire, dans la réserve de Bouna, où le garde-chasse Raphaël Matta venait d'être abattu par les Lobis, une tribu primitive, parce qu'il voulait les empêcher de tuer les éléphants. Ce malheureux Matta avait eu la tête chamboulée par la lecture des Racines du ciel. Il a écrit plusieurs fois à Romain Gary. J'ai vu le marigot où il a été achevé à coups de casse-tête, après avoir été atteint par des flèches empoisonnées. Bientôt une légende s'est installée, l'inverse de la réalité. On disait que c'était l'histoire de Matta qui avait inspiré le roman.

Dans cette ultime confession, Romain Gary évoque Les Cerfs-volants, *qui est à ce moment-là sur le point de paraître, son dernier roman, un des plus beaux et des plus émouvants.*

ROGER GRENIER

NOTE DE L'ÉDITEUR

Cet entretien filmé a été réalisé par Jean Faucher dans le cadre de son émission « Propos et confidences » pour Radio-Canada, en 1980, quelques mois avant la mort de Romain Gary. L'émission a été diffusée le 7 février 1982.

I

LA PROMESSE DE L'AUBE

Vous me demandez de raconter un peu ma vie, sous prétexte que j'en ai une, je n'en suis pas tellement sûr parce que je crois surtout que c'est la vie qui nous a, qui nous possède. Après on a l'impression d'avoir vécu, on se souvient d'une vie à soi comme si on l'avait choisie. Personnellement, je sais que j'ai eu très peu de choix dans la vie, que c'est l'histoire au sens le plus général et à la fois le plus particulier et quotidien du mot qui m'a dirigé, qui m'a en quelque sorte embobiné.

Je suis né en Russie en 1914, de parents comédiens, et mes premiers souvenirs sont des souvenirs de théâtre, des coulisses de théâtre. Je me souviens de la Révolution soviétique de 1917. J'étais couché sur la place Rouge, il y avait des balles qui sifflaient, ma mère s'est jetée sur moi pour me protéger. Je me souviens, assis sur les épaules d'un soldat, d'un marin soviétique, pour que je puisse voir dans la salle ma mère qui était en scène. Ma mère, disait-on, n'était pas une très grande comédienne et je me souviens particulièrement de ce moment : au théâtre, sur la scène, on représentait un village qui brûlait et l'on évacuait les habitants. Il y avait une très vieille femme qui était jouée par ma mère et qui traversait la scène, soutenue par deux hommes. Et après avoir assisté à cette scène, j'étais avec le marin dans les coulisses et j'ai vu ma mère en pleurs. Il y avait un scandale avec le régisseur et voilà ce qu'il se passait : c'est que le seul rôle que ma mère avait consistait à traverser la scène et ma mère ne voulait pas traverser la scène, elle s'accrochait, elle marchait trop lentement, il fallait la pousser hors de la scène parce que c'était son rôle et elle y tenait.

J'ai commencé à écrire à l'âge de neuf ans en russe. Ensuite, il y a eu des émigrations successives, d'abord en Pologne en 1921, à l'âge de sept ans, juste après la guerre entre les Polonais et les Russes, ensuite à l'âge de quatorze ans en France. Mais n'anticipons pas puisque je suis avant tout écrivain et que mes premiers efforts littéraires furent la traduction d'un poème de Pouchkine, « La branche de Palestine », du russe en polonais. C'était déjà à Varsovie. J'ai donc changé, comme je vous le dirai plus tard, quatre fois de culture. Je suis passé de la culture russe à la culture et à la littérature polonaises, ensuite, à quatorze ans, en France. Et j'ai vécu dix ans en Amérique et j'ai même écrit un roman en américain. Et à un certain moment, je me souviens, je racontais cela au général de Gaulle, je lui parlais des changements de culture que j'ai subis et je lui ai raconté l'histoire du caméléon. On met le caméléon sur un tapis rouge, il devient rouge. On met le caméléon sur un tapis vert, il devient vert, on l'a mis sur un tapis jaune, il est devenu jaune, on l'a mis sur un tapis bleu, il est devenu bleu, et on a mis le caméléon sur un tartan écossais multicolore et le caméléon est devenu fou. Le général de Gaulle a beaucoup ri et il m'a dit : « Dans votre cas, il n'est pas devenu fou, il est devenu un écrivain français. »

J'ai décrit tout cela, le rôle qu'a joué ma mère qui a été déterminant dans ma vie, dans *La Promesse de l'aube*[1] qui est ma première autobiographie que j'ai écrite à l'âge de quarante-cinq ans. Ma mère était une francophile comme on n'en conçoit pas aujourd'hui parce que cela date encore du XIXe siècle et à l'époque, pour les Russes surtout, la France était l'incarnation même de la grandeur, de la beauté, de la justice, des droits de l'homme, de toutes les très jolies histoires que nous nous sommes racontées sur nous-mêmes. Dès le début, son

1. *La Promesse de l'aube*, Gallimard, 1960.

seul rêve a été de faire de moi un Français, si bien que, de parents russes, lorsqu'elle est tombée enceinte, elle avait décidé d'accoucher en France et c'est prise de douleurs à la gare de Vilna[1], aujourd'hui capitale de la Lituanie, alors petite province russe, qu'elle a accouché dans une clinique de toute urgence et c'est ainsi que je suis né à Vilna. On n'est pas venus immédiatement en France, il a fallu faire un arrêt prolongé de sept ans en Pologne. J'ai donc appris le polonais que je parle couramment aujourd'hui, comme père et mère, tout comme le russe, et j'ai fréquenté l'école polonaise, toujours protégé de la vie par ma mère qui gagnait sa vie très difficilement. Nous n'avions pas un sou, elle avait ouvert une maison de couture à Vilna. Elle avait trouvé un truc peut-être pas très honnête : elle se prétendait la représentante à Vilna d'un grand couturier français de l'époque, Paul Poiret. Elle faisait des chapeaux et elle fabriquait des petites étiquettes à l'intérieur, « Paul Poiret ». À un certain moment, pour donner plus d'authenticité à son entreprise, elle a même engagé un ami acteur qui est venu jouer dans ses salons le rôle du grand couturier, Poiret. J'ai écrit tout cela, encore une fois, dans *La Promesse de l'aube*.

Nous sommes donc partis ensuite à Varsovie,

1. Vilnius.

où j'ai fait mes études à l'école polonaise, puis au lycée, et je continuais à écrire, cela a été la véritable vocation. Je continuais à écrire à l'âge de douze ans et j'avais tellement envie d'être écrivain et surtout d'être publié que mes premiers efforts littéraires, je les recopiais dans un cahier en écriture d'imprimerie pour me donner l'illusion d'être publié. Le lycée, donc, en Pologne jusqu'en 1928, et à ce moment-là, ma mère, qui était finalement dans son patriotisme français – puisqu'elle m'a appris le français alors que nous étions encore en Russie et en Pologne –, était tellement extravagante que, par exemple, elle m'a épargné d'apprendre qu'en 1870 la France a perdu la guerre. Dans ses leçons qu'elle me donnait sur l'histoire de France, elle a tout simplement sauté la guerre de 1870 parce qu'elle ne pouvait pas se résigner à l'idée que la France pouvait perdre une guerre.

C'est ainsi que je suis arrivé en 1928 à Nice, où ma mère a travaillé d'abord en tenant des vitrines de bijoux dans de grands hôtels, puis elle est devenue directrice d'hôtel et je suis allé au lycée de Nice. À ce moment-là, j'avais déjà près de quatorze ans et ce fut donc un nouveau changement de culture. Je puisai largement dans ces souvenirs, non seulement dans l'autobiographie entièrement authentique et nullement romancée qui s'appelle *La Promesse de l'aube*, mais également pour le premier roman que j'ai publié, *Éducation européenne*[1], que j'ai écrit pendant la guerre. J'ai puisé dans mes souvenirs de Pologne, alors que j'étais aviateur dans la Royal Air Force, pour reconstituer avec authenticité – puisque les Polonais s'y sont reconnus – une Pologne que je ne connaissais pas, c'est-à-dire la Pologne de la Résistance. Mais c'était simplement des souvenirs géographiques des endroits où j'ai vécu et il paraît, d'après les Polonais, que la Résistance polonaise était exactement telle que je l'avais décrite dans ce livre.

J'étais donc au lycée de Nice où ma mère se réjouissait profondément de me voir toujours premier en français et sa grande idée était que je devienne diplomate, que je représente la France à l'étranger, tout cela, pour un jeune homme qui n'était même pas encore naturalisé, d'origine russe, à une époque où la xénophobie était très forte en France – elle n'a d'ailleurs jamais disparu entièrement –, paraissait donc un rêve totalement extravagant. J'entendais ma mère me dire : « Tu seras un grand écrivain, tu seras ambassadeur de France. » Et c'était quelquefois très gênant parce que ma mère était très susceptible et chaque fois qu'il y avait une prise de bec dans l'escalier, elle me

1. *Éducation européenne*, Calmann-Lévy, 1945.

traînait dès l'âge de huit ans dans l'escalier et elle disait au voisin qui était sorti : « Mon fils sera ambassadeur de France, mon fils sera un grand écrivain français. » Je mourais de honte et vous pouvez imaginer l'effet que cela me faisait alors que nous étions encore dans une petite ville orientale de la Pologne.

Je me retrouve donc au lycée de Nice, je continue mes études, je fais du sport, beaucoup de sport, presque professionnel de tennis de table, j'étais devenu champion junior de la Côte d'Azur où j'étais payé, parce que nous n'avions pas un sou pour donner des leçons de ping-pong, comme on disait à l'époque, et je pars faire mes études à la faculté de droit d'Aix-en-Provence d'abord, puis à Paris. À ce moment-là, grand événement dans ma vie et dans celle de ma mère, le seul d'ailleurs dont elle a eu connaissance du point de vue littéraire, la publication de ma première nouvelle dans un hebdomadaire qui s'appelait *Gringoire*[1]. Me voilà donc, j'étais encore jeune étudiant, et j'avais gagné, je me souviens, mille francs pour cette nouvelle, ce qui a complètement changé ma vie d'étudiant et m'a confirmé dans les espoirs que je mettais en quelque sorte en moi-même en tant qu'écrivain.

1. Il s'agit de « L'orage », nouvelle de Roman Kacew, parue le 15 février 1935.

Après une année de droit à Aix-en-Provence, j'arrive à Paris, ma mère travaillait très dur et elle m'envoyait quand même cent francs par mois pour vivre. La chambre coûtait cent cinquante francs, et c'était très pénible de recevoir de l'argent d'une femme déjà vieillissante puisque je suis né lorsque ma mère avait trente-six ans. J'ai fait mille métiers – enfin mille, j'exagère – pour essayer de gagner ma vie : j'ai été livreur tricycliste chez un glacier, j'ai été garçon de café, j'ai été garçon dans un restaurant, plus exactement, et il s'est d'ailleurs passé là une chose amusante. C'est que j'étais serveur dans un restaurant russe. Quelque vingt ou trente ans après, ou vingt-cinq ans après, lorsque j'ai eu le prix Goncourt pour *Les Racines du ciel*[1], j'ai dit que j'ai été serveur dans un restaurant russe et ce restaurant était dirigé par un très vieux Russe blanc, très élitiste, et les journalistes se sont précipités chez lui et lui ont donc demandé : « Romain Gary a travaillé comme serveur chez vous ? » Et le vieux monsieur, qui à l'heure actuelle a près de quatre-vingt-dix ans et vit toujours, les a regardés comme cela et a dit : « Romain Gary, serveur chez moi, c'est une calomnie », parce que par solidarité, si je puis dire, entre Russes blancs émigrés, il ne voulait

Glander

1. *Les Racines du ciel*, Gallimard, prix Goncourt 1956.

22

pas admettre, cela lui paraissait déshonorant, que je puisse être garçon de café, ce que j'ai été.

J'ai fait également, comme je le raconte dans *La nuit sera calme*[1], des enquêtes pour un journaliste qui faisait l'exploration, par mon intermédiaire, des maisons closes de Paris. J'ai dû faire quelque chose comme deux cents « interviews », si je puis dire, dans des maisons closes et parfois je frisais la marge, ce que l'on appelle aujourd'hui la marginalité. Déjà, à Nice, parce que ma mère était très susceptible et que chaque fois – à la suite d'une vie difficile, elle avait un peu la manie de la persécution – qu'elle se sentait insultée elle me disait : « Tu vas là-bas et tu vas lui donner une paire de claques. » Ce que dès l'âge de quinze ans j'ai commencé à faire et j'ai même acquis une réputation très mauvaise de voyou dans le quartier. Je me suis donc souvent trouvé à Paris entre deux métiers, n'ayant guère de quoi vivre, je n'avais que deux chemises, je vivais de concombres et de pain et je me souviens d'un épisode particulièrement pénible – j'aurais pu vraiment basculer du côté d'une marginalité que l'on appelle aujourd'hui délinquante, et je crois que c'est le centre de gravité qui était l'image de ma mère qui m'a

1. *La nuit sera calme*, entretien fictif avec François Bondy, Gallimard, 1974.

sauvé – parce qu'il y avait à l'époque – c'est un épisode un peu difficile à raconter pour un monsieur qui est aujourd'hui commandeur de la Légion d'honneur, compagnon de la Libération –, à Miromesnil, un établissement pour dames où à la fois des messieurs pervers et des dames un peu trop libérées à l'époque et trop affranchies venaient pour se satisfaire. Un camarade américain m'avait donc proposé contre une très forte rétribution d'aller en quelque sorte procurer les satisfactions que vous imaginez à ces dames. Comme j'étais très seul, que ces dames étaient souvent très belles et que j'étais dans une situation quasi désespérée, ce fut le seul moment de ma vie où je fus sur le point de basculer vers un côté que je ne me serais probablement jamais pardonné, non pas sur le plan de la morale courante, mais sur le plan du respect de soi-même et sur le plan de l'authenticité que l'on s'efforce d'avoir. En plus de cela, évidemment, j'étais comme tous les jeunes, à cette époque, très frustré du point de vue sexuel parce qu'il n'y avait pas de moyens de contraception, il n'y avait pas la pilule et chaque fois qu'un jeune garçon couchait avec une fille, c'était des risques dangereux, du point de vue de la grossesse, et c'était donc très difficile.

Je résistais, parce que je me disais que ma mère ne le saurait jamais, et c'est en me raccrochant à l'image que ma mère se faisait de moi que je pus résister à cette tentation, je le dis très franchement dans *La nuit sera calme*, et j'ai fait d'autres métiers. Je faisais la main courante à l'hôtel La Pérouse, qui existe toujours, où j'étais fort mal vu puisque j'étais étudiant dans un milieu qui ne l'était pas. J'ai continué ensuite à travailler comme garçon de courses pour Monsieur A.[1], chef des informations du *Temps*. Je ne puis vous énumérer tous les métiers que j'ai faits, que j'ai tenté d'esquisser dans *La nuit sera calme* parce qu'en même temps c'était très difficile, d'abord parce que je faisais mes études de droit et ensuite parce que j'écrivais, je ne cessais d'écrire.

J'écrivais donc des livres – les deux premiers ont été refusés par les éditeurs – et j'ai écrit le premier qui s'appelait *Le Vin des morts*[2], que j'ai envoyé à Robert Denoël, qui était le seul éditeur, assassiné depuis, qui m'a reconduit très gentiment en me renvoyant beaucoup de promesses pour mon avenir. J'avais dix-neuf ans. Et, en même temps, la nature de ces livres était désespérée. Roger Martin du Gard, plus tard, en relisant les manuscrits alors que l'on me croyait disparu dans la guerre, avait dit : « C'est

1. Nom inaudible.
2. *Le Vin des morts*, Gallimard, 2014.

ou bien le livre d'un fou ou bien d'un mouton enragé. » Pour vous dire la nature de ce livre, Robert Denoël m'a envoyé une psychanalyse de trente pages du texte faite par la plus grande psychanalyste française de l'époque, qui était disciple de Freud, la princesse de Freud, la princesse Marie Bonaparte, où je souffrais, paraît-il, de tous les complexes : complexe de castration, la nécrophilie, enfin tout ce que l'on peut imaginer d'après la nature de ce livre. Le seul homme qui m'a aidé à cette époque, et c'est de là que datait notre amitié, fut André Malraux.

J'ai écrit un deuxième livre qui s'appelait *Geste d'amour*, je l'ai envoyé chez mon éditeur actuel qui est Gallimard. J'ai été reçu la première fois par un monsieur qui a été fusillé depuis, je crois, pour collaboration, qui m'a dit : « Jetez cela, prenez une maîtresse et revenez dans dix ans », ce qui n'était pas une façon d'aider un jeune auteur. Par contre, Malraux m'a reçu très gentiment, m'a déconseillé de publier ce livre, m'a promis un avenir d'écrivain après ce texte-là et m'a reçu chez lui à plusieurs reprises. Il m'a invité à déjeuner et m'a témoigné une bienveillance et une gentillesse que je n'oublierai jamais, d'autant que je n'étais vraiment pas à l'époque quelqu'un sur qui l'on pouvait miser d'un point de vue de garantie d'avenir pour un éditeur. Je n'ai rien réussi à publier, à part quelques nouvelles dans des hebdomadaires, et j'avais tellement honte auprès de ma mère de ne pas effectuer une percée qu'en revenant à Nice, pour les vacances d'été, une fois, ma mère m'a dit : « Mais enfin, on ne voit pas ton nom dans les journaux, comment cela se fait-il que cela ne marche pas ? » Et j'ai sorti, je me souviens, quelques nouvelles d'un écrivain qui était une dame, je ne suis plus sûr du nom, mais je l'ai cité dans *La Promesse de l'aube*, Andrée Viollis[1], je crois, je ne suis plus sûr, et j'ai dit : « Écoute, c'est moi, mais j'écris sous des pseudonymes. » C'était pour rassurer ma mère sur mon avenir littéraire, j'étais désespéré et je finis mes études de droit très péniblement, j'ai mis quatre ans là où à l'époque on en mettait trois et je suis parti dans l'armée en 1938.

J'ai fait un entraînement d'aviateur, j'avais signé pour trois ans, je voulais faire ma carrière dans l'aviation et j'ai été envoyé à l'école d'Avord[2], où je suis arrivé avec trois semaines de retard par rapport à mes camarades pour des raisons qui me paraissaient à l'époque

1. Andrée Viollis (1870-1950), militante antifasciste et féministe puis résistante, était alors l'auteur de grands reportages, comme *Indochine S.O.S*, préfacé par André Malraux, Gallimard, 1935.
2. Camp militaire d'aviation d'Avord, dans le Cher.

mystérieuses. J'arrive, je fais mes cours, et je m'attendais à sortir comme tout le monde avec le grade d'aspirant au bout de quatre mois, comme prévu. Et ma mère racontait déjà à tout le monde que son fils était officier aviateur et elle était très fière de moi. Or, sur quelque trois cent vingt élèves, j'ai été le seul à ne pas avoir été nommé officier. J'ai appris avec beaucoup de difficultés plus tard les raisons, c'est que j'étais naturalisé de trop fraîche date et, dans l'atmosphère de xénophobie qui régnait à cette époque dans cette armée d'élite qui était l'aviation, on ne pouvait se résigner à me confier un avion. J'ai donc été nommé caporal-chef et versé comme instructeur de tirs aériens à Salon-de-Provence, à l'École de l'air. Quand je suis revenu de l'école d'Avord à Nice sans avoir eu le courage d'annoncer à ma mère l'échec, j'ai vu sur la façade de l'hôtel-pension Mermonts[1] – comme s'appelait l'hôtel, l'immeuble existe encore, j'y étais encore il y a trois semaines, mais maintenant il n'y a plus d'hôtel – un immense drapeau français qui flottait et c'était ma mère qui pavoisait en l'honneur de son fils officier qui revenait triomphant de l'école. J'en revenais comme caporal-chef et vous pouvez imaginer mon humiliation et le sentiment d'échec que j'éprouvais. Je me suis trouvé dans

1. Hôtel-pension tenu par sa mère, boulevard Grosso à Nice.

une situation impossible parce que je ne pouvais pas lui avouer que je n'étais pas nommé officier par xénophobie. Je ne pouvais pas lui avouer parce qu'elle avait une telle idée, une idée si haute de la France, que c'eût été pour elle une déception terrible sur le plan patriotique. Je m'étais creusé la tête pendant tout le voyage de retour pour trouver une solution et je l'ai trouvée, parce que ma mère, imbue des traditions romantiques du XIXe siècle, imaginait également que son fils aurait des conquêtes féminines innombrables, comme le voulait la tradition de l'époque, alors j'ai menti. Ma mère m'a dit : « Mais enfin, comment se fait-il que tu ne sois pas dans ton uniforme d'officier ? » Alors j'ai menti, j'ai puisé dans mon imagination de romancier et je lui ai dit : « Écoute, maman, voilà ce qui s'est passé, j'ai couché avec la femme du commandant de l'école et, par mesure disciplinaire, je n'ai pas été nommé officier. » Alors son visage est devenu radieux et elle m'a dit : « Raconte-moi tout. » Mon échec était complètement oublié, je sauvais ainsi par ce mensonge, dans son esprit, l'idée de l'honneur de la France et en quelque sorte mon propre honneur puisque, pour elle, les succès féminins étaient quelque chose qui allait de soi pour son fils, hélas. Et la guerre éclate.

Nous partons de Salon-de-Provence, l'école est transférée à Bordeaux-Mérignac, où j'ai mon premier accident d'avion. Je travaillais à l'époque, si je puis dire, comme interprète volant auprès des aviateurs polonais qui avaient reflué en France et il n'y avait pas les moyens de communication modernes dans les postes de pilotage, et donc je me tenais entre le pilote français et le pilote polonais et je traduisais les instructions du pilote français. À un moment, le pilote polonais prenait très mal son terrain et le pilote français dit : « Dites à cet imbécile qu'il donne un peu de gaz parce que, sans ça, on va entrer dans le hangar. » Alors je me tourne vers le pilote polonais et je lui dis : « [*phrase en polonais*]. » Et naturellement, avant que je finisse de traduire la phrase en polonais, on était dans le hangar et mon nez a été écrasé. Il a été refait péniblement.

J'ai continué à faire quelques missions en France avec le Potez 540[1], j'ai reçu des shrapnels[2] pendant les bombardements du terrain d'aviation, des trous dans la cuisse que je garde toujours à titre de souvenir et c'est la défaite, l'inconcevable défaite. Pour moi la France était

---

1. Avion de combat français, notamment utilisé par l'escadrille commandée par André Malraux pendant la guerre civile espagnole.
2. Le « shrapnel » était un obus contenant des balles, inventé par un Allemand du même nom pendant la Première Guerre mondiale. Le terme désigne plus généralement des éclats d'obus.

par définition invincible, héritage des hautes idées du pays que se faisait ma mère. L'idée d'accepter la défaite ne m'était pas possible, ne m'était pas acceptable. Mon escadre de bombardement s'est repliée sur Meknès où j'ai tenté de voler mon avion et de passer à Gibraltar. On m'a tiré dessus parce qu'il n'y avait pas de magnéto sur l'avion, mais on avait bien vu, on avait enlevé sur ordre de ceux qui feraient Vichy plus tard les magnétos pour empêcher les désertions et j'ai dû m'enfuir à pied. On me tirait dessus, je me suis réfugié au bousbir de Meknès, c'est-à-dire la ville réservée où il y avait trois cents maisons de prostitution, je me suis caché, aidé par une vieille Arabe, la mère Zoubida, la sous-maîtresse d'une maison. Après quoi, déguisé en aviateur polonais, grâce à ma connaissance du polonais, je me suis glissé à bord d'un transport de troupes qui transportait les aviateurs polonais d'Afrique du Nord sur Gibraltar, et je suis arrivé sur Gibraltar au moment où la flotte anglaise rentrait de Mers el-Kébir, où elle avait coulé dans des conditions ignobles la flotte française.

J'ai continué sur Londres où m'attendait, si je puis dire, le général de Gaulle. J'étais parmi les premiers à arriver là-bas. Je n'avais qu'une idée, c'était de me battre. J'étais très entraîné. Il y en avait peu, nous étions, je crois, deux cents aviateurs entraînés à rejoindre ce qui allait devenir la France Libre du général de Gaulle, nous n'avions qu'une justification à notre désertion qui nous a tous fait condamner à mort par Vichy, comme le général de Gaulle lui-même, c'était d'aller nous battre et probablement d'aller nous faire tuer. C'était notre seule raison d'être, c'était au fond de nous faire tuer et, sans cela, nous étions vraiment déserteurs. On avait enfermé la plupart d'entre nous dans des bureaux parce qu'il y avait à l'époque un chef d'état-major qui avait une idée, c'est que le Français Libre ne devait pas aller se battre dans des escadrilles anglaises mais devait constituer des escadrilles autonomes françaises avec des couleurs françaises. D'ailleurs, dès cette époque, j'avais fait une mission comme « sac de sable », c'est-à-dire sans aucune attribution particulière, dans un Wellington[1] de bombardement de nuit, j'étais assis dans cet avion, je ne faisais rien, j'étais le seul aviateur à ce moment-là à avoir fait une mission de guerre avec les Anglais et la radio française de Londres a annoncé triomphalement : « L'aviation française a bombardé l'Allemagne à partir de ses bases en Angleterre. » L'aviation française, c'était moi, mis, pour des raisons de

1. Bombardier britannique utilisé pendant la Seconde Guerre mondiale.

propagande, pour justifier le communiqué, dans un Wellington.

Il y a eu une petite rébellion que l'histoire ignore en général, que j'ai décrite dans *La nuit sera calme* et dans *La Promesse de l'aube*. Quelques sous-officiers, dont moi, ont tiré à la courte paille. Il y avait une sorte d'esprit à ce moment-là de ce que devait donner plus tard l'OAS et l'on avait tiré à la courte paille pour savoir qui allait se débarrasser de ce chef d'état-major qui allait nous empêcher de nous battre. La courte paille, c'est moi qui l'ai tirée et je fus chargé en quelque sorte de tuer ce malheureux capitaine. Nous sommes montés dans l'avion, il est monté dans l'avion avec nous, sous prétexte d'inspection, on l'avait invité. Sentant le roussi, il s'est réfugié dans la tourelle du mitrailleur du Blenheim[1] et l'idée était de dire que l'on avait eu un ennui de moteur, qu'il avait paniqué et qu'il avait sauté, mais que son parachute ne s'était pas ouvert. Puis mon camarade mitrailleur et moi qui étions à l'arrière, on le tirait par les pieds pour essayer de le sortir de sa tourelle mitrailleur et ses bottes me sont restées dans les mains et j'ai vu les pieds un peu sales, des pieds humains, tout blancs, affreux, et je n'ai pas pu. Nous nous sommes posés et je suis passé en

1. Bristol Blenheim, bombardier léger de l'aviation britannique.

bon soit de trop tard

jugement auprès du conseil de guerre présidé par l'amiral Auboyneau[1], qui m'a acquitté et m'a simplement envoyé en Afrique avec mon escadrille. Je suis arrivé en Afrique à la fin de 1940, dans ce qui est devenu la république du Ghana, aujourd'hui.

---

1. Amiral Philippe Auboyneau (1899-1961), commandant des forces navales de la France Libre dans le Pacifique et la Méditerranée.

II

DE L'ARMÉE À LA DIPLOMATIE

Je glisse sur les campagnes d'Afrique, cela n'intéresse plus personne. Les souvenirs d'anciens combattants, il n'y a rien de plus ennuyeux, je signale quand même que ce fut Koufra, ce fut l'Abyssinie, ce fut la Libye, ce fut un long séjour en Afrique centrale où je m'entraînais au pilotage puisque c'est en opération en quelque sorte que je me suis perfectionné et que j'ai appris à piloter après avoir été mitrailleur, observateur, navigateur, bombardier, etc. Mon souvenir le plus marquant de la Centrafrique, c'est que je ne bois pas, je n'ai jamais bu, je n'ai jamais touché à une goutte d'alcool, je goûte au vin rarement, par politesse en quelque sorte pour la grande valeur culturelle de mon pays qui est la vigne, mais je n'ai pas le goût de la boisson alcoolisée sous aucune forme, ni bière, ni whisky, ni rien. Mes camarades le savaient, cela les étonnait beaucoup, cela les amusait, et un jour, au mess, nous avions une soupe au curry, qui est très fortement épicée, comme son nom l'indique, et ils m'ont versé deux verres de whisky là-dedans, et j'ai bu ma soupe sans m'apercevoir que je buvais de l'alcool. Et l'alcool a sur moi un effet qui s'est démontré à cette occasion-là. Je me suis levé, je me suis frotté les mains comme cela et j'ai dit : « On va voir ce que l'on va voir. » Je suis allé au terrain, j'ai pris le Blenheim et j'ai bombardé avec deux bombes d'exercice le palais du gouverneur de l'Oubangui-Chari[1]. C'était des bombes de plâtre, les dégâts n'ont pas été considérables pour le palais du gouverneur, mais très considérables pour moi. J'ai été cassé et envoyé comme adjudant [...][2] défricher un terrain dans un régiment disciplinaire de la Légion étrangère.

C'était très dur, d'abord parce que vous pouvez imaginer ce qu'était la discipline de la Légion étrangère, ensuite parce que c'était la saison des pluies. On défrichait le terrain pendant toute la journée, et pendant la nuit cela repoussait. C'était prodigieux. J'ai perdu ainsi six semaines d'aviation parce qu'avant on ne pouvait pas communiquer directement par avion avec l'Angleterre, et avant que mes camarades apportent leurs témoignages, expliquent le mauvais tour dont j'ai fait l'objet, avant que

1. Ancien territoire de l'Afrique-Équatoriale française.
2. Passage inaudible.

les documents aillent à Londres et reviennent, cela a pris plus de six semaines. J'ai été non seulement rétabli dans mon grade de sous-lieutenant, mais j'ai eu le droit à titre d'excuses à une affectation immédiate avec mon esca-drille en Abyssinie au terrain de Gordon's Tree à côté de Khartoum, à Khartoum même où il y avait, je me souviens, une boîte de nuit mer-veilleuse au sommet d'un hôtel où il y avait une troupe de douze danseuses hongroises qui étaient en guerre contre nous et qui étaient en quelque sorte internées là-bas et servaient d'entraîneuses. Ce n'était pas désagréable de les rencontrer parce qu'elles avaient beaucoup d'amour pour la France.

La campagne consistait à bombarder les ter-rains italiens en Abyssinie, après quoi ce fut la Libye, et je n'ai pas fait la campagne de Libye parce que j'ai bu l'eau du Sarir en faisant la remontée. J'étais affecté au Moyen-Orient et pendant la traversée d'ailleurs inoubliable du point de vue pittoresque de Fort-Lamy à Fort-Archambault, le long du Sarir, ensuite de Khartoum par le train et par le Nil jusqu'à Ouadi-Halfa, jusqu'à Assouan, jusqu'au Caire, j'ai bu de l'eau du Sarir, je n'ai pas été immu-nisé par les piqûres contre le typhus et je suis arrivé à Damas, atteint d'un typhus, d'une typhoïde avec hémorragie intestinale telle que j'ai reçu l'extrême-onction parce que les médecins disaient que je n'avais pas une chance sur mille de m'en tirer. Ils avaient compté sur ma mort et je suis toujours persuadé que c'est ma mère qui m'a tiré de là parce qu'à un moment, le seul moment de conscience que j'ai eu, le cercueil était déjà posé à côté de moi, j'étais prêt à être mis dans le cercueil, et pour l'extrême-onction – je dois faire une petite parenthèse historique : ma mère était juive, mon père était grec orthodoxe, et moi-même je suis catholique. Ma mère a fait de moi un catholique parce que, la France étant un pays catholique, la moindre des politesses était d'être catholique, c'était la seule motivation – donc, je reçois l'extrême-onction, je revois le prêtre qui était le frère de l'un de mes camarades d'escadrille, Hirle-mann, le père révérend Hirlemann, habillé comme il convient de pourpre pour la circons-tance, avançant sur moi la croix à la main pour m'administrer l'extrême-onction : j'ai été telle-ment indigné ou effrayé par cette apparition qui m'a paru celle du diable que, rassemblant mes dernières forces, j'ai saisi le crucifix et j'ai donné un grand coup sur la tête avec le cruci-fix. J'étais fou délirant, j'avais quarante et un de fièvre, je saignais de partout, on me faisait des transfusions de sang et le médecin militaire m'a dit que j'ai été sauvé par ce sursaut d'éner-gie qui avait mobilisé mes dernières ressources vitales, et je m'en suis tiré mais on m'a dit l'aviation pour vous, c'est fini, plus jamais. Et comme il n'était pas question pour moi de ne pas être autre chose que combattant aviateur, je me suis arrangé avec un chauffeur de taxi au Caire qui me ressemblait vaguement, mais personne ne faisait attention, j'ai pris sa photo, on l'a mise sur ma carte de la RAF[1] et il a passé la visite médicale à ma place. Il a été déclaré en parfait état pour l'aviation et avec la complicité de mon camarade médecin de l'escadrille, Bernard Bercault[2], qui vit toujours, et grâce à lui j'ai pu continuer à voler, et j'ai continué à voler jusqu'à notre retour en Angleterre pour le deuxième front avec mon escadrille.

J'ai eu deux ou trois accidents, par suite de l'action ennemie, mais à chaque fois, par la volonté du destin, c'est mon nez qui prenait le coup. J'avais déjà eu le nez refait une fois et je signale cette chose assez curieuse, c'est que mon nez a été refait trois fois et, pendant trente ans, je n'ai pas pu respirer par le nez, il était bloqué mais la Royal Air Force ne l'avait pas découvert puisque c'est un autre qui est allé passer la visite médicale à ma place, et j'ai donc continué à voler en Angleterre, sur nos avions, pour le bombardement en vol rasant. C'était

---

1. Royal Air Force : la force aérienne britannique.
2. Bernard Bercovici, *alias* Bercault, médecin de l'escadron Lorraine dans les Forces aériennes de la France Libre.

des missions très difficiles, de jour, à quarante ou cinquante mètres du sol, qui duraient trois heures en vol rasant, en vol de basse altitude – *low level* comme on disait en anglais –, pour ne pas rater les objectifs qui étaient souvent situés en France, et pour ne pas tuer de Français.

Nous perdions beaucoup d'équipages et pendant ce temps-là, la nuit, j'écrivais. J'écrivais mon premier roman, *Éducation européenne*, dans une chambre de quatre officiers. Il faisait très froid, je dormais peu et, au lieu de me coucher, j'écrivais jusqu'à deux ou trois heures du matin l'*Éducation européenne* qui se passe dans la Résistance en Pologne. Mes camarades dormaient pendant ce temps-là et à six ou sept heures, cinq heures et demie bien souvent, nous partions en mission. Je dormais peu. Je tapais très dur à la machine avec deux doigts, d'abord en écrivant à la main. Ce roman, *Éducation européenne*, est paru alors que j'étais encore en Angleterre, en traduction anglaise, et a été immédiatement un très grand succès avant la libération de la France, un best-seller dans les pays anglo-saxons. Je l'avais écrit de telle façon que, si j'étais tué, on pouvait publier séparément, parce qu'à l'intérieur du roman il y a des récits faits par le principal héros du roman, si bien que, si j'étais tué, il y avait quelque chose qui restait puisque ces récits pouvaient en quelque sorte être triés, publiés indépendamment. Je n'ai pu encore maintenant me remettre dans la peau de ce personnage que j'étais et qui était entièrement centré sur deux choses : d'abord, me battre, deuxièmement écrire et donner satisfaction aux espoirs – trois choses, la principale, je la cite en dernier lieu : donner satisfaction aux espoirs que ma mère avait mis en moi, ayant sacrifié toute sa vie de femme pour moi, ne s'étant jamais remariée, n'ayant jamais connu depuis l'âge de femme, depuis l'âge de trente-cinq ans, que le dévouement complet à mon avenir. L'essentiel était que pendant tout ce temps-là, avant donc l'annonce de la publication d'*Éducation européenne* en Angleterre, j'avais des nouvelles d'elle par la Suisse, donc des lettres, des billets griffonnés à la hâte qui me parvenaient ici et là, très brefs, très courts, me disant : « Tu as bien fait de partir, continue à te battre », et utilisant cette phrase qui a précédé tant de défaites dans l'histoire de France : « On les aura », cette fameuse phrase historique de 14-18, de 40-45, « On les aura ».

Je recevais donc de ses nouvelles, on était en 43 et je sentais que j'avais réalisé, à part évidemment l'espoir inaccessible d'être représentant de la France à l'étranger, d'être diplomate ou ambassadeur ou tout ce que l'on voudra dans ce genre, j'avais écrit un livre qui avait du succès, ce qu'elle attendait de moi, je m'étais battu et, quelques jours après, je recevais la croix de la Libération, à la suite d'une mission particulièrement difficile. Je volais comme bombardier et mon camarade Arnaud Langer[1] tenait les commandes. Il était le pilote et nous étions au-dessus de la France et, touché par la DCA, il a été blessé aux yeux, il ne voyait plus. J'étais dans la cage de verre de l'avion, nous étions séparés par des plaques de blindage, je ne pouvais pas reprendre les commandes et je l'ai guidé à la voix par le micro, et avec le mitrailleur de derrière nous échangions des indications qui lui permettaient de se diriger vers notre terrain d'aviation. Nous nous sommes posés avec un pilote pratiquement aveugle alors qu'il n'y avait vraiment pas une chance sur cent pour s'en tirer et je crois que c'est à la suite de cela que quelques jours plus tard, simplement parce que j'étais un des seuls survivants de 40, parce que je n'ai pas fait une guerre différente de mes camarades, c'était la même routine de vie ou de mort, j'ai été fait compagnon de la Libération, ce qui était certainement l'événement le plus marquant, le plus important à ce jour de ma vie. Quelles que soient mes réalisations, c'est à cette croix de la Libération que j'attache et que j'attacherai jusqu'à la fin de mes jours la plus grande importance.

1. Arnaud Langer (1919-1955), pilote bombardier dans l'escadron Lorraine des Forces aériennes de la France Libre.

J'ai été reçu et félicité par le général de Gaulle, aussi pour la sortie du livre : c'était quand même un événement dans la petite France Libre qu'un aviateur français publie un roman en traduction en anglais dans les collections Penguin, qui a eu tant de succès. Ma rencontre avec de Gaulle s'est passée sous des auspices beaucoup plus heureux que la première. Je vous ai dit qu'en arrivant en 40 à Londres je voulais surtout me battre, nous voulions surtout nous battre, et j'ai été délégué par des camarades auprès du général de Gaulle pour obtenir qu'au lieu d'attendre la formation des escadrilles françaises, avec les chefs d'état-major dont j'ai parlé, il nous laisse partir individuellement dans les escadrilles anglaises. La première rencontre avec le général de Gaulle a été extrêmement pénible. Je suis arrivé dans le bureau, je salue, je fais le garde-à-vous et tout ce que l'on veut, et il me dit : « Vous voulez partir vous battre ? Partez », très sec, « et surtout n'oubliez pas de vous faire tuer ». C'était évidemment très dur et assez vache, mais le Général était un homme – tous ceux qui l'ont approché le savent –, c'était un homme de cœur, de grande délicatesse et de beaucoup de tact, mais cela lui avait échappé dans un moment d'irritation. Il avait voulu se rattraper, mais comme ce n'était pas un homme qui s'excusait, je venais d'atteindre la porte, je venais de mettre la main sur la poignée de la porte lorsque j'entends le Général me lancer : « D'ailleurs, il ne vous arrivera rien, il n'y a que les meilleurs qui se font tuer. » Tout en me souhaitant bonne chance, il m'assommait une deuxième fois en me disant que je ne pouvais pas me qualifier parmi les meilleurs.

Mais cette fois, il m'avait reçu très chaleureusement et depuis, jusqu'à la fin de ses jours, dire que nous avons eu des rapports ce serait bien prétentieux de ma part, mais il a bien voulu me témoigner une extrême sympathie et gentillesse. Chaque fois que je publiais un livre, il m'écrivait une longue lettre et ce qui était peut-être le plus touchant, ce n'était pas le contenu de la lettre, c'était de penser qu'il adressait l'enveloppe lui-même, il ne donnait pas à une secrétaire, il écrivait à la main et l'adresse sur l'enveloppe était faite de sa main, c'était son écriture. Je n'ai jamais rencontré une courtoisie pareille et une telle élégance de manière et de sentiment chez aucun chef d'État français avec lequel j'ai eu ou pas d'affaires depuis. Le Général, c'était le seul homme, au sein de l'humanité, avec ma mère, pour lequel jusqu'à ce jour j'ai gardé un attachement total et profond dans le respect qu'il m'est très difficile d'exprimer par écrit. Je n'ai jamais parlé du général de Gaulle par écrit, sauf au moment de sa mort, mais cela a été peut-être une grande justification pour moi de la condition humaine, celle de l'avoir rencontré, celle de l'avoir vu fréquemment et celle de savoir qu'un tel homme pouvait exister. Aujourd'hui, comme vous savez, le général de Gaulle est une figure mythologique en France à laquelle plusieurs se réfèrent avec plus ou moins d'autorité et des raisons de s'en réclamer, plutôt moins que plus, qui a fait l'unanimité des Français, auquel se réfèrent aussi bien les communistes que tous les autres partis de tous les bords. Et je puis dire simplement que, sur le plan humain, cela a été pour moi – la connaissance, la rencontre avec le général de Gaulle – la confirmation de tout ce que ma mère m'avait appris de la France alors que nous étions encore au fond de la Russie, ou au fond de la Pologne, c'était véritablement l'image de la France telle que ma mère me l'avait communiquée. D'ailleurs, d'une certaine façon, je peux dire que ma mère était le premier général de Gaulle que j'ai rencontré.

Ce livre sort et me voilà capitaine, puis adjoint au chef d'État-major de l'Air à Londres, auteur à succès, je me marie avec une Anglaise – Lesley Blanch[1], qui est devenue écrivain depuis,

1. Lesley Blanch (1904-2007), écrivain, fut l'épouse de Romain Gary entre 1945 et 1962.

qui a écrit un livre célèbre, *The Wilder Shores of Love*[1], et d'autres livres, qui prépare au moment où je vous parle la sortie d'une biographie de Pierre Loti. J'ai divorcé d'elle il y a une vingtaine d'années, nous sommes restés très amis – et je m'apprête à continuer ma carrière dans l'aviation lorsque finalement les services médicaux de la Royal Air Force s'aperçoivent que je ne peux plus respirer par le nez parce que mon nez est absolument bloqué et je suis donc radié du personnel navigant à ce moment-là. Ainsi radié du personnel navigant, je me trouvais après huit ans hors d'un cadre dans lequel j'avais vécu jusqu'alors et auquel j'attachais beaucoup d'importance, l'armée. L'armée est très calomniée et très mal vue aujourd'hui, pour des raisons parfaitement compréhensibles, je citerai encore une fois la phrase de Malraux : « Il y a des guerres justes, il n'y a pas d'armées innocentes. » Nous étions bien à l'époque dans un autre contexte historique. Aujourd'hui, après la guerre d'Algérie, la guerre d'Indochine, les souvenirs qu'en ont gardés ceux qui étaient contre, l'armée traverse dans l'opinion publique une crise d'image que je conçois parfaitement, mais elle a fait partie de ma vie, j'ai fait partie de l'armée pendant

---

1. Paru en 1954. Nouvelle traduction en français sous le titre *Vers les rives sauvages de l'amour*, Denoël, 2005.

huit ans, je dois beaucoup à l'armée du point de vue de la formation de mon caractère, de la camaraderie et des possibilités de lutter contre le nazisme, contre le totalitarisme, parce que je me demande bien comment on peut lutter contre l'ennemi que représentent ces entités ennemies de l'homme autrement que par la force des armes.

J'étais écrivain, mon livre m'avait rapporté pas mal d'argent, j'étais habitué à appartenir à un cadre. La guerre n'était pas encore finie, je faisais un travail de bureau d'adjoint au chef d'État-major au bureau de l'Air. Je m'interrogeais sur mon avenir. Les lettres de ma mère continuaient à m'arriver, très rarement, mais par la Suisse toujours, et il y a eu le Débarquement, la libération de Paris et à la fin, juste au moment de la libération du midi de la France, j'ai pu obtenir de mon commandant de l'époque, du chef d'État-major des Forces aériennes de l'Atlantique, le général Corniglion-Molinier[1], l'autorisation de me rendre à Nice avec un ordre de mission très spécial. Je suis donc arrivé à Nice pour aller voir ma mère où je constate, en arrivant à l'hôtel-pension Mermonts, je découvre

1. Édouard Corniglion-Molinier (1898-1963), journaliste, homme politique, producteur de cinéma, pilote pour les Forces aériennes de la France Libre, nommé général de brigade aérienne en 1944.

grâce à mes amis qui sont toujours mes amis, le professeur René Agid[1], sa femme Sylvia, son frère Roger Agid, je constate que ma mère était morte depuis trois ans, qu'elle avait écrit une quantité considérable de deux cents billets qu'elle avait remis à une amie polonaise en Suisse et ces billets me parvenaient alors qu'elle était déjà morte depuis trois ans. Elle s'assurait ainsi que le cordon ombilical, si je puis dire, continuait à fonctionner. J'arrive donc à Nice – lieutenant-colonel, un titre fictif comme on disait à l'époque, avec en réalité le grade de commandant – couvert de décorations, auteur connu et je venais à ce moment-là, juste avant d'avoir quitté Londres, je venais de recevoir l'invitation d'entrer sans examen, pour service rendu à la libération de la France – c'était Georges Bidault qui avait signé, le futur ministre aux Affaires étrangères –, l'invitation à devenir membre du corps diplomatique français, c'est-à-dire de réaliser le dernier rêve de ma mère. C'était une coïncidence, je ne l'avais pas cherché, c'est-à-dire devenir diplomate dans le cadre du ministère des Affaires étrangères de la France. J'arrive donc à Nice, je trouve que ma mère était morte depuis trois ans, qu'elle n'a jamais su que j'étais vivant, qu'elle n'a jamais su

---

1. Ami intime de Romain Gary, dédicataire avec sa femme Sylvia de *La Promesse de l'aube*.

que j'étais devenu officier de la Légion d'honneur, compagnon de la Libération, auteur connu et représentant futur de la France à l'étranger, ce qu'elle avait envisagé dans un rêve qui me paraissait insensé alors que nous nous terrions dans un petit coin de la Lituanie, ou dans un petit appartement de Varsovie, et qu'elle m'entretenait de ses futures légendes qui, même enfant, me paraissaient comme relevant du conte de fées.

Ma mère était donc morte, elle est morte fin 41[1] et elle n'a jamais rien su de ce que j'étais devenu et de la réalisation de ce que l'on peut appeler ses fantasmes, et qui d'une certaine façon étaient simplement une manifestation d'amour à la fois pour moi et pour la France, sur le plan mythologique, dont elle avait conservé une image intacte même au contact parfois fort pénible des réalités françaises, surtout à l'époque de Vichy. J'ai subi là à ce moment-là, en entrant dans cet hôtel-pension Mermonts où je comptais trouver ma mère, un choc très profond. J'étais probablement aussi près que je pus venir d'une dépression nerveuse, j'étais en mauvaise forme physique, je suis tombé malade et je pus surmonter cela bien que les tranquil-

---

1. Mina était morte le 16 février 1941, d'un cancer de l'estomac.

lisants n'existaient pas à l'époque et j'ai été nommé premier secrétaire à l'ambassade de France en Bulgarie.

À ce moment-là, je publiais un roman, *Le Grand Vestiaire*[1]. Il s'est passé une chose très curieuse dans ma carrière littéraire. *Éducation européenne*, venant au moment de la libération de la France, publié en France en 45, était un véritable triomphe : j'ai eu le prix des critiques, j'ai été célébré en quelque sorte, encensé par toute la presse, d'abord parce que je portais le battle-dress noir, avec l'écusson de la France Libre et les décorations qui faisaient un très bel effet sur la première page des journaux, ensuite parce que mon livre avait reçu un prix et donc était lu par centaines de milliers d'exemplaires, et enfin parce que la France et les Français avaient besoin de quelques images pour se refaire un moral. Alors les critiques avaient décidé à l'unanimité que j'étais l'auteur d'un seul livre, que je n'allais plus pouvoir recommencer une œuvre de qualité comme *Éducation européenne* et on m'a donc enterré comme écrivain. J'ai écrit *Tulipe*[2] en 46 et, de deux cent mille exemplaires, je suis passé à cinq cents exemplaires et pourtant, aujourd'hui, *Tulipe* est un roman reconnu comme l'un de mes meil-

1. *Le Grand Vestiaire*, Gallimard, 1949.
2. *Tulipe*, Calmann-Lévy, 1946.

leurs livres. J'ai écrit *Le Grand Vestiaire* sur la France de l'après-guerre qui était en avance sur son temps parce qu'il parlait de la genèse des années 40 et des blousons noirs, ceux que l'on appelait plus tard les blousons noirs ou que l'on appelle aujourd'hui des loubards. La critique ne parlait plus guère de moi et j'ai écrit *Les Couleurs du jour*[1], qui est un livre que j'ai repris par la suite, il y a neuf mois, sous le titre *Les Clowns lyriques*[2], et finalement j'ai écrit *Les Racines du ciel* pour la défense des éléphants, de la nature, de l'environnement, comme on dit aujourd'hui. C'est historiquement le premier roman écologique.

Je l'ai écrit péniblement puisque ma fonction de diplomate ne me laissait que peu de temps pour écrire et il faut que je vous dise une chose pour montrer le chemin parcouru dans la prise de conscience depuis la publication des *Racines du ciel* en 56. C'est que je m'étais trouvé à l'époque à la table de Pierre Lazareff, le directeur de *France-Soir*, et il y avait une vingtaine de personnalités parisiennes, et à propos de mon roman, *Les Racines du ciel*, quelqu'un a prononcé le mot « écologie ». Sur vingt personnes d'élite, intellectuels ou personnalités parisiennes, il n'y en avait que six qui connais-

1. *Les Couleurs du jour*, Gallimard, 1952.
2. *Les Clowns lyriques*, Gallimard, 1979.

saient le sens du mot « écologie ». C'était en 56 et seize [*sic*] personnalités si je puis dire d'élite, un mot que je n'aime pas beaucoup, ignoraient le sens du mot « écologie ». *Les Racines du ciel* a donc été un très grand succès, c'est un livre écrit en vain pour la défense des éléphants puisque l'on en massacre aujourd'hui soixante-dix mille par an et que l'épouse d'un des grands chefs d'État africains est ou a été la principale trafiquante d'ivoire – cinq mille tonnes d'ivoire arrivent chaque année. J'ai eu le prix Goncourt avec ce livre, mais *Les Racines du ciel* allait au-delà de la défense de l'environnement. Les éléphants étaient aussi pour moi les droits de l'homme : maladroits, gênants, encombrants, dont on ne savait trop que faire, qui interféraient avec le progrès puisqu'il est assimilé à la culture, et qu'ils renversaient les poteaux télégraphiques, qu'ils paraissaient inutiles et qu'il fallait les préserver à tout prix. J'en ai fait indirectement une valeur symbolique et allégorique des droits de l'homme. Cependant, ce que je réclame avant tout – les droits de l'homme étant défendus par mille organisations depuis –, ce que je vois et que je réclame à ce titre, sans aucune pudeur, c'est la qualité du premier auteur à avoir écrit dans un roman important un livre sur la défense de l'environnement et la protection de la nature. J'ai été, si vous voulez, du point de vue romanesque, le premier écologiste de France et si cela vous paraît prétentieux, tant pis, je me réclame de ce titre et j'en suis très fier. C'était une époque où la nature tenait une dernière place certainement dans la préoccupation des Français, j'ai eu néanmoins le prix Goncourt et je suis revenu à mon poste diplomatique que j'occupais : c'était, à l'époque, chargé d'affaires de France en Bolivie.

III

DE LA DIPLOMATIE AU CINÉMA

Je suis resté dans la carrière diplomatique dix-sept ans environ, en commençant en 1945. Je ne vais pas retracer les étapes d'une carrière somme toute banale. J'ai commencé comme deuxième secrétaire en Bulgarie, j'ai été adjoint au directeur de l'Europe pour les affaires de l'Europe de l'Est à Paris, premier secrétaire et conseiller à l'ambassade de Berne, porte-parole à la délégation des Nations unies, puis, après un bref séjour à Londres, consul général de France à Los Angeles, le seul poste consulaire que j'ai occupé, et chargé d'affaires en Bolivie. Parmi ces souvenirs que j'égrène devant vous par hasard, par association d'idées, je vais donc simplement évoquer quelques épisodes soit amusants, soit atypiques, soit caractéristiques. La première expérience était celle de la Bulgarie, où c'était à la fois un régime communiste et une monarchie. Il y avait encore la monarchie, un conseil de régence, et le pouvoir était aux mains du parti communiste présidé par le légendaire Dimitrov[1], celui qui s'est comporté avec tant de courage lors du procès de l'incendie du Reichstag où il figurait parmi les premiers accusés. C'était passionnant et triste de voir le passage d'un pays, d'un État, d'une pseudo-démocratie monarchiste à la dictature totalitaire de type stalinien puisque l'on était en plein Staline. Mais j'y ai perdu un ami dont j'évoque ici le nom, Petkov[2], qui était le président de l'Alliance française et qui a été pendu, puisque c'était la mode stalinienne à l'époque, comme ennemi du peuple, suivi d'ailleurs par un personnage communiste très important, Kostov, qui a été pendu également.

J'avais pour chef un Français Libre aussi, le ministre Jacques-Émile Paris, mort depuis, et il m'est arrivé pendant ces deux ans en Bulgarie quelque chose de très amusant et d'atypique et qui peut fournir un enseignement à mes jeunes collègues diplomates dans la Carrière. J'ai été l'objet d'une tentative de chantage et l'on m'a recruté comme espion. Maintenant je me suis retiré des affaires, donc je peux parler très franchement. J'avais rencontré une jeune femme et j'étais devenu comme on dit son amant, plus

1. Georgi Mikhailov Dimitrov (1882-1949).
2. Nicolas Petkov (1893-1947), président de l'Union agrarienne bulgare et directeur de l'Alliance française.

exactement j'avais fait l'amour avec elle, ce qui n'est pas du tout la même chose. Un beau jour, je suis arrêté dans une rue de Sofia par deux messieurs qui me disent : « Monsieur, vous êtes Romain Gary ? – Oui. – Nous avons trouvé là des photos qui vous concernent et nous voulions vous les rendre. » Ils me montrent des photos où je suis tout nu avec la jeune femme en question, nue également dans une position qui n'est pas difficile à imaginer, et j'ai dit : « Oui, en effet, rendez-moi les photos. » Ils me rendent les photos et ils me disent : « On voulait prendre un verre avec vous. » On va dans un bistrot, l'équivalent bulgare du bistrot, et ils me disent : « Évidemment, nous pourrions également récupérer les négatifs, mais c'est donnant-donnant, il faudrait que vous nous rendiez des services. » Alors je demande quels services et ils me demandent de communiquer le code secret de l'ambassade de France, autrement dit une tentative de chantage direct disant ou bien on publie vos photos dans la position que vous savez, ou bien... Je venais de sortir de l'aviation. J'ai eu un passé assez dur, comme ceux qui ont écouté ces émissions le comprennent, j'ai été formé à une école assez dure, j'ai connu la violence sous toutes ses formes et je ne cède pas facilement. Alors je leur ai dit : « Écoutez, Messieurs, on pourrait peut-être s'entendre mais je vais vous dire quelque chose. Vous m'avez photographié là (inutile de dire que la jeune femme en question était un agent de la milice), vous m'avez photographié à la fin, si vous voyez ce que je veux dire par là. Et sur la photo, je n'ai pas l'air avantageux, j'ai vraiment l'air, sur le plan de la virilité, très piètre. Si vous diffusez cette photo, on ne saura pas que c'est la fin, on croira peut-être que c'est au commencement et l'on croira que je ne défends pas très bien l'image du Français, du représentant de la France à l'étranger, même dans ce domaine-là. On va donc peut-être s'entendre. Vous allez me donner une deuxième chance, nous allons choisir une deuxième jeune femme, de préférence la fille de votre ministre de l'Intérieur (qui était une ravissante blonde), on recommence le tout, vous êtes dans la chambre, vous me photographiez entièrement. Ces photos-là ne me font pas honneur, je ne suis pas à la hauteur, est-ce que vous êtes d'accord pour recommencer? » La discussion avait lieu en russe. Vous savez que, d'une certaine façon, ils sont très puritains, c'est d'ailleurs pour cela qu'ils croyaient que j'allais céder sous la menace de publication de ces photos : ils s'étaient complètement liquéfiés, décomposés, ils bégayaient, ils ne savaient pas quoi répondre. Alors j'ai dit : « J'insiste, j'exige de recommencer et de poser pour vous encore une fois pour faire voir ce que je peux vraiment faire parce qu'à mon âge, en tant que représentant de la France à l'étranger, j'ai une réputation à soutenir que vous connaissez. » Ils ont bégayé quelques mots, ils se sont levés et ils sont partis en me laissant d'ailleurs l'addition.

Je suis revenu à la délégation de France et j'ai mis la photo sur le bureau de mon ministre, Jacques-Émile Paris, en lui disant : « Voilà. » Jacques-Émile a regardé, il a ri et il a dit : « J'aurais cru que vous feriez mieux, vous, un aviateur. » Et cela s'est arrêté là. De très nombreux diplomates ont été piégés de cette façon-là, des hétérosexuels, mais beaucoup d'homosexuels aussi, et qui ont cédé à ce chantage. En ce qui me concerne, je n'ai plus entendu parler de ces photos qu'il doit y avoir quelque part dans les archives, ces négatifs que j'aimerais bien retrouver d'un point de vue nostalgique.

Cela m'est arrivé une deuxième fois alors que j'étais nommé porte-parole de la France aux États-Unis. Au cours d'une réunion très importante du Conseil de sécurité, il y avait mon collègue, mon homologue soviétique Monsieur Titov, qui se précipite à l'improviste sur moi, on pensait à autre chose, et me dit : « Dites-moi combien d'avions de chasse l'Angleterre a-t-elle livrés à l'Allemagne fédérale ? » Il croyait m'avoir sur l'effet de surprise, que j'allais lui dire, et évidemment, si je l'avais dit, il aurait pu me dire par la suite, si vous ne m'informez pas davantage, je dirais que... vous voyez l'engrenage. Mais cela se passait en russe, je m'excuse auprès des téléspectateurs qui savent le russe, je l'ai regardé dans les yeux et je demande pardon de l'expression, mais j'ai répondu littéralement : « [*en russe*] ». C'est très insultant, tous ceux qui savent le russe le comprendront, je l'ai envoyé, comme on dit, CHIER et je n'en ai plus jamais entendu parler. J'ai raconté cela également dans *La nuit sera calme* en donnant son nom. Cela n'a pas dû faire beaucoup d'effet parce qu'il y a trois ans j'ai lu dans la Presse comme vous tous que Monsieur Titov, toujours sous le même nom, a été expulsé de la Norvège où il était le chef de l'espionnage soviétique.

La période la plus marquante de ma carrière diplomatique – d'abord l'attachement que j'ai eu pour un ambassadeur, mort, Henri Hoppenot[1], qui était mon ambassadeur à Berne et aux Nations unies – a été celle des Nations unies. À Berne, je m'ennuyais tellement que j'ai envoyé un télégramme à Bidault en disant : « La météo signale aujourd'hui qu'il va neiger dans trois jours à Berne et je laisse à Votre Excel-

1. Henri Hoppenot (1891-1977), diplomate, ambassadeur de France à Berne entre 1945 et 1952, puis représentant de la France au Conseil de sécurité de l'ONU jusqu'en 1955.

lence le soin de tirer de cette information toutes les implications qu'elle comporte. » Bidault a déclaré : « Il est fou, envoyez-le chez les fous. » Dans son esprit, c'était les Nations unies et j'ai été nommé aux Nations unies porte-parole de la délégation française, ce qui fut pour moi une expérience inoubliable à la suite de laquelle j'ai publié un livre, sous le pseudonyme à l'époque de Fosco Sinibaldi, *L'Homme à la colombe*[1], qui est une satire des Nations unies. Aux Nations unies, j'ai été pour la première fois confronté avec l'hypocrisie, le mensonge, la recherche des alibis et le contraste complet entre la réalité des problèmes tragiques du monde et les pseudo-solutions qu'on leur apporte. Je ne critique pas, je ne condamne pas l'organisation des Nations unies, dont les membres sont dévoués à la cause qu'ils servent et qui font ce qu'elle veut. Il s'agit encore de manifestations diverses, d'analyses qui se déguisent sous la couleur de l'entente bleu et blanc que leur donne le drapeau des Nations unies. Je ne m'exclus même pas de la honte et du double jeu – *double speech*, comme disait Orwell dans son livre *1984* –, je ne m'exclus pas de la catégorie des gens coupables.

J'étais porte-parole de la délégation française devant la télévision, devant la radio et devant la

---

1. Fosco Sinibaldi, *L'Homme à la colombe*, Gallimard, 1958.

Presse. Je vous donne un exemple des situations dans lesquelles un homme pouvait se trouver. C'était une époque où l'on avait adopté l'idée de l'armée européenne et la France défendait ses positions en Tunisie, au Maroc, on ne parlait même pas d'Algérie, en disant qu'elle avait besoin de cette espèce d'arrière-pays pour la profondeur méditerranéenne et de ses territoires pour soutenir l'armée européenne à laquelle elle adhérait, et moi j'ai défendu cette cause comme porte-parole de la délégation française au sein de laquelle je n'avais pas à exprimer d'opinion, j'exprimais l'opinion du gouvernement français. Puis vient le gouvernement de Mendès France, l'armée européenne est enterrée par le Parlement, il n'est pas question d'armée européenne et le même homme explique à quarante-huit heures d'intervalle pourquoi il ne fallait pas d'armée européenne, alors que je disais qu'il en fallait une, et pourquoi l'armée européenne n'était pas une notion acceptable pour la France. Je me suis fourni toutes sortes d'alibis à moi-même, que j'ai fournis également aux autres représentants, par là même aux Nations unies puisque je ne m'exclus pas du blâme. Je me dis que je jouais le rôle de l'avocat de la France comme un défenseur, comme un avocat est dans un procès le défenseur d'un homme, qu'il soit coupable ou non et qu'il est obligé de défendre. Néanmoins, la tension nerveuse a été telle que je me suis aperçu au bout d'un moment que je ne tournais plus rond.

Je vais vous donner un exemple de ce qu'il s'est passé. Soumis à la constante de cette espèce de contradiction idéologique entre ce que je ressentais et ce que j'étais obligé de dire, je subissais une pression, un stress dont je n'avais pas conscience. Un beau jour, je me souviens, Larry LeSueur, qui était, je crois, l'interviewer, le commentateur de la CBS, m'interroge et me demande : « Qu'est-ce que l'on pense en France du président Eisenhower ? » Je réponds, je crois répondre et je rentre à la maison, c'est-à-dire à la délégation, et l'ambassadeur me dit : « Romain, qu'est-ce qu'il s'est passé ? Vous commencez une phrase puis vous restez jusqu'à la fin la bouche ouverte et l'on a coupé. Qu'est-ce qu'il s'est passé ? Puis vous avez parlé d'autre chose. » J'ai refait psychiquement, intellectuellement, le chemin de ce que j'avais dit, j'ai consulté Larry LeSueur, et je me suis aperçu que quand il m'a demandé : « Qu'est-ce que l'on pense en France du président Eisenhower ? », j'étais sur le point de répondre : « *We think that he is the greatest president in the history of golf.* » Comme vous savez, le président Eisenhower était très porté sur le golf, il jouait beaucoup et j'étais donc sur le point de répondre : « Nous pensons que le président Eisenhower est le plus grand président de l'histoire du golf » et, avant de le dire, je me

67

suis arrêté, l'instinct de conservation, et j'ai dit :
« Nous pensons que le président Eisenhower
est... » Et je suis resté comme cela. Cela a pu
s'arranger au montage, comme vous arrangerez
sans doute au montage ce que je suis en train
de vous raconter ici, mais il y a eu plus tard un
autre incident qui était beaucoup plus grave
et qui m'a vraiment rendu conscient de l'état
d'épuisement nerveux dans lequel je me trouvais à force de ce *double talk, double speech.*

Nouvelle interview, j'en avais deux par jour,
à la radio, et je parle librement sans me sentir
gêné, puis je quitte la cabine et je suis accueilli
par Hoppenot dans la salle du Conseil de sécurité, qui me dit : « Mais dites, Romain, vous êtes
devenu complètement fou, qu'est-ce que c'est
que cette histoire-là ? » Je lui dis : « Quoi ? » Je
faisais mon laïus, je crois qu'il s'agissait du coup
de la CIA au Guatemala qui avait renversé le
gouvernement Arbenz[1] mais je ne suis pas sûr.
Et, au milieu de cette conversation en anglais,
je me suis arrêté et j'ai dit en français : « Si tu
t'appelais Yo de Poil... Si tu t'appelais Var de
Batignolles et si tu jouais aux boules, je te dirais
comment vas-tu boulevard de Batignolles ? » Je
déraisonnais complètement, j'avais atteint un
degré de tension nerveuse qui se manifeste sou-

---

1. Jacobo Arbenz Guzmán (1913-1971), président du Guatemala de 1951 à 1954, renversé par un coup d'État.

vent de manière burlesque ou de manière tout à fait imprévue, comme quelqu'un qui prend un plat de spaghetti et le renverse sur la tête de son voisin. J'ai demandé immédiatement à quitter mon poste, ce que j'ai obtenu évidemment très facilement, et je dois signaler que mon remplaçant au bout de deux mois a fait une telle dépression nerveuse que l'on a dû l'évacuer sur un brancard. J'ai tenu trois ans, ce qui prouve que j'avais encore du système nerveux. C'était très dur ces années aux Nations unies.

Par exemple, j'ai écrit le livre qui est aujourd'hui hors circulation, que l'on ne peut pas trouver et qui s'intitule *L'Homme à la colombe*, sous le pseudonyme de Fosco Sinibaldi, que je ne reprendrai pas aujourd'hui parce qu'il est trop ironique, trop léger, trop comique. C'est beaucoup plus tragique que cela, aujourd'hui on ne peut plus parler des Nations unies, même sur le mode voltairien, sur le mode simplement ironique, aujourd'hui, c'est devenu beaucoup plus tragique que cela. Et, ayant quitté ma fonction aux Nations unies, j'ai fini ma carrière normalement. Je consacrais toutes mes heures libres à l'écriture et j'ai continué mon œuvre : *La Tête coupable*[1], *Les Couleurs du jour*, *Les Man-*

1. *La Tête coupable*, Gallimard, 1968. Troisième tome de la trilogie *Frère Océan*.

geurs d'étoiles[1], pendant cette période-là. J'ai été nommé à Londres où, malheureusement, je n'ai pas pu rester. J'aime beaucoup Londres, mais je n'ai pas pu y rester parce que l'ambassadeur, qui était un très grand ambassadeur que je respectais beaucoup, s'était reconnu dans le personnage d'une nouvelle que j'avais écrite. Je ne le connaissais pas du tout et j'avais écrit une nouvelle qui n'avait absolument rien de péjoratif sur un grand ambassadeur qui se découvre un peu tard une vie homosexuelle. Je m'empresse de le dire, il n'y avait aucune tendance discriminatoire envers les homosexuels, j'ai simplement utilisé ce thème parce qu'il cadrait bien avec ma nouvelle et pour un certain effet dramatique que je recherchais, et cette révélation soudaine qu'un homme a de sa nature profonde. Cet ambassadeur, pour une raison ou pour une autre, s'est reconnu dans ce personnage, il avait le même nombre d'enfants, il avait eu par hasard un ou deux postes que j'ai cités, bien qu'il ne s'agissait pas dans ma nouvelle d'un ambassadeur de France, et il m'a prié de quitter le poste. J'ai donc quitté le poste et c'est grâce à lui – je l'ai d'ailleurs remercié plus tard – qu'ayant bénéficié d'un congé de longue

1. *Les Mangeurs d'étoiles*, Gallimard, 1966. Écrit en anglais et publié d'abord à Londres en 1961, sous le titre *The Talent Scout*.

durée j'ai pu écrire *Les Racines du ciel*, qui m'a permis d'avoir le prix Goncourt.

Après quoi j'ai été nommé consul général à Los Angeles, je passe sur d'autres postes, d'autres fonctions, parmi lesquelles peut-être la plus intéressante, celle d'adjoint au directeur de l'Europe au poste à Paris qui traitait des questions de l'Europe de l'Est, donc des questions de démocratie populaire et des questions communistes, qui m'a beaucoup marqué en ce sens que plus jamais depuis je n'ai été surpris par aucune des actions internationales entreprises par l'Union soviétique. J'ai été ahuri de l'étonnement du monde au moment de l'invasion de Budapest, j'ai été stupéfait par l'étonnement du monde au moment du coup de Prague et je ne comprenais absolument pas comment on pouvait douter d'une autre conduite de la part d'une doctrine rigoureusement suivie, et je me suis retrouvé consul général à Los Angeles, qui était évidemment un poste extrêmement agréable.

Je suis arrivé à Hollywood en 56, quelques mois avant d'avoir le prix Goncourt pour *Les Racines du ciel*, et j'y suis resté jusqu'à la fin de l'année 1960. C'était un paysage sociologique très différent de ce qu'il est aujourd'hui et il y avait encore le culte des grandes vedettes de cinéma, la fabrication des grandes vedettes de cinéma par les services de presse et je les rencontrais toutes. J'ai rencontré les plus belles femmes de l'époque, de loin, mais enfin j'étais leur voisin de table au moins, c'était Ava Gardner, Rosalind Russell, Claudette Colbert, Olivia De Havilland. Je dois dire que c'était pour moi une vie à la fois irréelle et réelle. Réelle, parce que comme observateur, comme romancier, je tirais profit de l'irréalité qui m'entourait pour en saisir le sens, et irréel, parce qu'il est extrêmement difficile, lorsque vous êtes au centre de cette prodigieuse fabrique de rêves qu'est Hollywood, de ne pas s'y laisser prendre soi-même. J'étais consul général, j'étais à l'abri des tentations, je n'étais pas mêlé à la vie professionnelle de ces gens-là et j'étais loin de me douter qu'un jour je reviendrais à Hollywood comme auteur-scénariste.

J'ai gardé par exemple des souvenirs qui sont en pleine contradiction avec les admirations que j'éprouvais. L'homme que j'ai admiré le plus et pendant très longtemps, encore aujourd'hui d'ailleurs, c'était Groucho Marx. Je peux dire qu'il m'a influencé comme écrivain. Je peux dire que dans *Les Clowns lyriques*, dans le personnage de La Marne par exemple, c'était le burlesque que j'essayais de mettre dans les scènes de carnaval de Nice et ailleurs dans le livre, ce sont les frères Marx et d'ailleurs et en particulier, c'est Groucho Marx qui m'a inspiré. J'ai donc fait une visite officielle à Groucho Marx, qui était un homme très différent dans la vie ordinaire de ce qu'il était à l'écran, mais qui cultivait son image comme tous ces gens-là. Il m'invite donc chez lui, j'arrive chez lui, très ému en quelque sorte et plein de respect, et comme d'habitude, ce qui irrite ces grands comiques, c'est qu'il suffit qu'ils disent n'importe quoi pour qu'on se mette à rire par une espèce de réflexe de Pavlov. Il avait donc décidé de me bafouer en quelque sorte par sa méthode d'agressivité, de bafouer plus exactement l'image qu'il savait que j'avais de lui. Il me fait asseoir et vous allez voir jusqu'où il est allé. Il m'offre des olives et me dit : « *Do you want an olive ? This olive, not my wife, Olive. Of course.* » Je veux dire, on ne peut pas être plus bête dans la plaisanterie et je n'ai pas besoin de traduire : « Est-ce que vous voulez une olive ? Cette olive-là, et naturellement pas ma femme, qui s'appelle Olive. » Et s'appelait-elle Olive, je n'en sais rien. Toute la conversation s'est déroulée au niveau le plus bas de la plaisanterie telle qu'on ne la pratiquait même plus chez les comiques troupiers du XIX⁰ siècle, mais il le faisait exprès pour m'exposer en quelque sorte à cette agression et pour voir qui j'étais vraiment. Je ne riais pas, je le prenais très calmement, je n'avais pas le réflexe de Pavlov qu'il attendait de moi, c'est-à-dire il fait une plaisanterie idiote et je ris. Il m'a pris en amitié. Il m'a invité à une première un jour, et le vrai Groucho Marx est apparu soudain. Il passait pour entrer et il y avait à l'époque des grandes premières hollywoodiennes des milliers de gens dans la rue, et il y a quelqu'un dans la foule qui lui crie : « Groucho, ton cigare », parce qu'on le voyait toujours avec le cigare, et Groucho s'est tourné vers moi et il me dit : « *I hate their guts...* », « Je ne peux pas les blairer ».

L'humour de Groucho Marx est pour moi très important, comme tout humour en général parce que l'humour est l'arme blanche des hommes désarmés. Il est une forme de révolution pacifique et passive que l'on fait en désamorçant les réalités pénibles qui vous arrivent dessus. Par exemple, dans l'humour juif né dans le ghetto, c'était des gens qui n'avaient pas d'autres armes de défense qu'une certaine forme de rire tragique dont on connaît l'exemple bien connu et qui a été mis à toutes les sauces : on trouve un juif victime d'un pogrom avec un coup de sabre du côté du cœur, on arrive à son secours et on lui demande : « Est-ce que cela vous fait mal ? » et il répond : « Seulement lorsque je ris », « *Only I'm laughing* ». Cela a été mis ensuite à la sauce des Indiens, des Peaux-Rouges, etc., mais c'est une plaisanterie dont j'ai vérifié l'historicité et qui est née dans le ghetto. Cet humour prend souvent des formes extrêmement agressives.

74

L'humour des frères Marx est un humour agressif, il est une contre-attaque, c'est un combat à l'arme blanche de l'humour. Il est plus pacifique, plus calme, plus gentlemanesque chez les Anglais, où il est également très puissant, et il a retrouvé sa forme virulente, sa forme tragique, sa forme d'arme d'autodéfense en Amérique grâce aux juifs, dans la grande école littéraire new-yorkaise où nous avons connu deux prix Nobel, d'abord celui de Saul Bellow, ensuite celui de Singer et dont les représentants sont très nombreux : Malamud, Bruce J. Friedman[1], sans oublier l'auteur du *Complexe de Portnoy*[2], Philip Roth. Cet humour-là a apporté une contribution extraordinaire au roman américain et également au cinéma américain, dont les frères Marx, Charlie Chaplin et bien d'autres jusqu'à W. C. Fields que j'ai connu, bien sûr pas Fields qui était déjà mort, mais les autres.

C'était pour moi une curieuse expérience que de voir la réalité de ces gens-là et leur réalité à l'écran, c'est-à-dire leur réalité cinématographique. Il était également très prenant de voir avec quelle précaution une grande vedette

1. Bernard Malamud (1914-1986), Bruce Jay Friedman (né en 1930).
2. *Portnoy et son complexe* (*Portnoy's Complaint*), 1969, de Philip Roth (né en 1933).

fabriquée à Hollywood est entourée pour qu'elle ne se compromette pas en livrant sa réalité au public. Elle était entourée de gens dont le soin principal était de l'empêcher de révéler sa véritable nature et de trahir l'image que l'on s'en faisait. Mais c'était déjà la fin et moi, pendant ce temps-là, j'étais complètement en dehors du coup, j'étais en quelque sorte un voyeur de l'extérieur, puisque par effraction, cela m'a été constamment proposé mais je ne pouvais rien faire avec le cinéma. Je vous donne un exemple : Walter Wanger, un producteur qui est mort depuis – il s'est rendu également célèbre en blessant d'un coup de revolver l'amant de sa femme Joan Bennett –, m'a proposé de jouer le rôle de César dans un petit film qu'il préparait qui s'appelait *Cléopâtre*. Ce film, que l'on pouvait tourner pour un million de dollars, est devenu *Cléopâtre*[1] de Zanuck, tourné à Rome pour vingt millions de dollars avec, comme vous savez, Taylor et Burton. C'est à moi que Walter Wanger a rendu visite officiellement au consulat général de France en me proposant de jouer le rôle de César. Cela m'est arrivé plus tard, lorsque *Les Racines du ciel* a été tourné[2],

1. *Cléopâtre*, réalisé par Joseph L. Mankiewicz et produit par Darryl F. Zanuck, avec Richard Burton et Elizabeth Taylor, États-Unis, 1963.
2. *Les Racines du ciel* (*The Roots of Heaven*), réalisé par John

on m'a proposé de jouer Morel. Ils ne compre-
naient pas que l'on pût résister à l'attraction de
Hollywood, ils ne voyaient pas qu'un diplomate
français, un consul général, pouvait se tenir en
dehors, il leur semblait que le couronnement
était de pouvoir passer de leur côté.

Huston, produit par Zanuck, avec Trevor Howard (Morel),
Juliette Gréco et Errol Flynn, États-Unis, 1958.

IV

LE SENS DE MA VIE

Le spectacle hollywoodien m'a fait comprendre dans le cours de ma vie à quel point les trois quarts de la vie politique actuelle, de la vie idéologique, sont des spectacles. Je suis donc resté consul général de France pendant près de quatre ans à Los Angeles et à ce moment-là j'ai rencontré Jean Seberg[1], qui venait de tourner *Jeanne d'Arc*, *Bonjour tristesse*, et qui a connu un triomphe dans *À bout de souffle*. J'ai divorcé de Lesley Blanch, ma première épouse, et j'ai épousé Jean Seberg, dont j'ai un enfant qui va avoir dix-sept ans[2], qui est en terminale. À ce moment-là, ma vie s'est compliquée d'une telle façon qu'il a fallu choisir. Je ne pouvais pas être

1. Jean Seberg (1938-1979) avait joué son premier rôle pour Otto Preminger (*Sainte Jeanne*) en 1957, puis dans *Bonjour tristesse* du même réalisateur (1958), avant de tourner avec Jean-Luc Godard (*À bout de souffle*, 1960).
2. Alexandre Diego Gary, né en 1962, auteur de *S. ou l'Espérance de vie*, Gallimard, 2009.

à la fois romancier à part entière, diplomate à part entière et, d'autre part, j'étais marié à une jeune femme de vingt-quatre ans plus jeune que moi, qui à l'époque était une vedette de cinéma qui tournait dans des pays divers, et il fallait donc ou bien endurer les séparations, ou bien la suivre dans des lieux de tournage parfois aussi lointains que la Colombie. J'ai demandé une disponibilité au Quai d'Orsay en pensant d'ailleurs reprendre du service parce que j'étais très attaché aux Affaires étrangères, très inté-ressé, mais les circonstances et les besoins de la vie matérielle et économique ont fait que je n'ai jamais pu reprendre le collier du Quai d'Orsay bien que ce ne soit pas du tout la faute du Quai d'Orsay, je m'empresse de le dire, et à partir du moment où j'étais devenu ministrable, où j'avais donc réalisé le rêve de ma mère qui était de me voir devenir ambassadeur de France, je me suis mis en disponibilité. Peut-être y avait-il aussi une part de provocation à l'idée d'une sorte de conformisme au fantasme prodigieux de ma mère. Il me semble que si j'étais devenu ambassadeur de France alors qu'elle ne savait rien de ce qui m'était arrivé, elle était morte bien avant, elle ne connaissait rien à ma guerre, à mon œuvre littéraire et à ma carrière diplo-matique, il me semble que je l'aurais plus fait par une sorte de rituel quasi mystique que par un besoin profond. J'ai donc quitté le Quai d'Orsay et, à part quelques missions exceptionnelles, je ne suis plus jamais revenu, je n'ai plus jamais repris du service jusqu'à la retraite.

À ce moment-là, je connaissais très bien l'Amérique et j'ai écrit deux livres qui concernaient pour l'un l'engagement de ma femme – avec qui je suis resté marié neuf ans –, Jean Seberg, dans les luttes antiracistes en Amérique, qui est une œuvre autobiographique, une des trois œuvres autobiographiques que j'ai écrites, donc *La Promesse de l'aube*, ce livre-là, *Chien blanc*[1], et le dernier qui s'appelait *La nuit sera calme*. Ce sont les seuls ouvrages autobiographiques que j'ai écrits ou que j'aurai écrits parce que je ne pense plus avoir assez de vie devant moi pour écrire une autre autobiographie. *Chien blanc* était un très grand succès. *Life Magazine* lui a consacré un numéro spécial, je me suis temporairement libéré du souci financier immédiat, mais pas entièrement, et je suis donc devenu à la fois grand reporter, en dehors de l'œuvre littéraire que j'ai continuée, et journaliste, correspondant de journaux, ce que l'on appelait surtout avant la guerre grand reporter. J'ai travaillé pour *Life Magazine* et d'ailleurs j'ai su que *Life Magazine* allait mettre la clé sous la porte lorsque ce prodigieux mensuel a pris un

1. *Chien blanc*, Gallimard, 1970. Adapté au cinéma par Samuel Fuller (*Dressé pour tuer*, 1982).

tel axe disant que, désormais, il ne fallait plus voyager en avion en première classe, mais en classe touriste. C'était une période très intéressante de ma vie où je voyageais beaucoup et il y avait plusieurs publications américaines qui me sollicitaient, et j'ai également travaillé comme scénariste pour Hollywood où je suis revenu à plusieurs reprises. J'ai donc refait connaissance avec des gens que j'avais connus autrement. Je les avais connus en toute indépendance comme consul général de France et je les connaissais maintenant sous un autre angle, comme commanditaire de scénarios, c'était le même mot, mais les rapports étaient fort différents.

Par exemple, le producteur d'*Autant en emporte le vent*, David Selznick[1], m'a demandé de faire un scénario de *Tendre est la nuit*, d'après le roman de Scott Fitzgerald. J'ai fait le scénario, j'ai travaillé huit jours sur ce scénario, j'ai terminé le scénario et j'ai vu que j'allais devenir fou parce que pour chaque fragment de scénario que je remettais à Selznick, de l'ordre de trois ou quatre pages, il m'envoyait tous les jours une note de dix pages pour me donner son avis ou me donner ses instructions et ses directives, et je me suis rendu compte que l'idée de ce monsieur, grand producteur et grand maître de Hollywood, était de prendre

1. David O. Selznick (1902-1965).

l'écrivain comme un stylo et d'écrire avec l'écrivain, si je puis dire. J'ai donc remboursé les avances que Selznick m'a consenties et je n'ai pas donné suite à ce scénario. J'ai également fait une nouvelle version du *Facteur sonne toujours deux fois* mais qui n'a jamais été tournée, plus d'innombrables travaux que j'ai faits comme réparateur de scénarios, où l'on m'appelait à l'autre bout du monde pour réparer les scénarios en panne. Je me souviens être allé en Afrique équatoriale pour réparer en quelque sorte un scénario dont le tournage avait été prévu dans les neiges de la Norvège et qui se trouvait tourné en Afrique équatoriale. J'ai également pas mal écrit pour Hollywood, mais fort peu de mes scénarios, à part *Le Jour le plus long*[1] de Zanuck, ont conservé une intégrité, une intégralité quelconque plus exactement, et j'ai presque toujours fait retirer mon nom du générique. Pour *Le Jour le plus long* par exemple, pendant que j'écrivais, il y avait d'autres écrivains sur le scénario, mais lorsque ce fut mon tour, c'était le moment où Richard Burton avait beaucoup de publicité à cause de son histoire

1. *Le Jour le plus long* (*The Longest Day*), coréalisé par Darryl F. Zanuck, adapté du livre de Cornelius Ryan, avec John Wayne, Henry Fonda, Richard Burton, États-Unis, 1962. Coscénaristes, entre autres : Romain Gary et Erich Maria Remarque.

d'amour avec Elizabeth Taylor. Zanuck m'a demandé d'augmenter le rôle de Richard Burton dans le scénario pour bénéficier de cette publicité.

On peut donc imaginer que pour un écrivain habitué à l'indépendance, c'était une situation intolérable. Nous étions à ce moment-là dans les années 60, c'était vers la fin, j'avais une connaissance assez profonde de l'Amérique et je m'en suis servi pour écrire un roman en plusieurs volumes qui s'appelait *La Comédie américaine*, dont le premier s'appelle *Les Mangeurs d'étoiles*. Au moment où je vous parle, la situation des otages avec plusieurs ambassadeurs coincés en Colombie était exactement ce que j'avais prévu dans ce roman sur l'Amérique centrale, qui s'appelle donc *Les Mangeurs d'étoiles*, qui s'appelait *The Talent Scout* en Amérique. Ensuite, *Adieu Gary Cooper*[1], qui a été pour moi important, que la jeunesse a beaucoup suivi parce que Gary Cooper[2] était un homme avec qui je m'étais lié d'amitié pendant mon séjour à Hollywood, un homme que

1. *Adieu Gary Cooper* (écrit en anglais et paru sous le titre *The Ski Bum*, en 1964), Gallimard, 1969.
2. Gary Cooper (1901-1961), acteur entre autres du *Train sifflera trois fois* (Fred Zinnemann, 1953) et de *l'Homme de la rue* (Frank Capra, 1941).

j'aimais particulièrement pour sa douceur, sa gentillesse et sa qualité de gentleman, que je voyais fréquemment, c'était celui avec qui je m'étais le plus lié pendant mon séjour à Hollywood et j'ai écrit ce roman, *Adieu Gary Cooper*, dans lequel il n'était pas question de Gary Cooper. C'était un malentendu d'ailleurs, j'aurais peut-être dû choisir un autre titre, il est possible que je l'appellerai dans la collection complète de mes œuvres *Adieu la compagnie*. Mais ce que je voulais dire par *Adieu Gary Cooper*, c'était pendant la guerre du Vietnam, c'était adieu l'Amérique sûre d'elle-même, adieu au blanc et au noir, au sens valeur, au sens traître, au sens positif, adieu au personnage que jouait Gary Cooper à l'écran, au personnage qu'incarnait Gary Cooper à l'écran, c'est-à-dire adieu à l'Amérique tranquille, sûre de ses valeurs, sûre de son droit et sûre de toujours gagner à la fin. J'annonçais donc dans ce roman l'Amérique d'aujourd'hui, l'Amérique du doute, de l'anxiété, de l'angoisse, de la vulnérabilité – puisqu'elle est exposée désormais à la destruction comme tous les autres pays du monde – et j'essayais de l'exprimer sous une forme romanesque. D'après la réaction des jeunes aujourd'hui encore, parce que je reçois pas mal de lettres au sujet de ce roman, c'est un livre qui a beaucoup marqué les jeunes. C'était écrit juste avant Mai 68 et il y avait déjà là des éléments qui annonçaient Mai 68 dans mes personnages.

Je continuais à travailler pour le cinéma, à écrire des reportages, j'ai fait le Yémen à moto-cyclette pour *France-Soir*, et à une époque où la guerre civile venait de se terminer, où c'était paraît-il assez dangereux, mais je ne racontais que la plus grande gentillesse. Finalement, j'ai d'abord rompu complètement avec le journa-lisme parce que je ne pouvais plus me consa-crer à mon œuvre littéraire et j'ai été très tenté par le cinéma, car je suis très marqué par le cinéma. J'aime le cinéma, l'expression cinématographique, et j'ai tourné moi-même deux films, comme metteur en scène, auteur, réalisateur des *Oiseaux vont mourir au Pérou*[1], d'après une nouvelle que j'avais publiée six ans auparavant, et un autre film deux ou trois ans plus tard, qui s'appelait *Kill!*[2] Le premier film, je considère que c'est une des choses dont je suis le plus fier dans ma vie, c'est mon premier rapport avec la caméra. Cela a été éreinté à l'époque par toute la critique française, mais désormais on le cite, je ne devrais pas le dire,

1. *Les oiseaux vont mourir au Pérou*, avec Jean Seberg, Mau-rice Ronet et Pierre Brasseur, France, 1968.
2. *Police Magnum – Kill!*, avec James Mason, Curd Jürgens et Jean Seberg, 1972.

je m'excuse, c'est un manque d'humilité et de modestie, mais par exemple, il y a deux ans, on a cité *Les oiseaux vont mourir au Pérou* parmi les cinquante meilleurs films des cinquante dernières années du cinéma et j'en suis très fier. Ensuite j'ai tourné un autre film, *Kill!*, inspiré par ma haine pour les trafiquants de drogue et mon horreur de la drogue d'ailleurs, qui était très violent, qui a été interdit par la censure en France pendant quelque temps à cause de sa violence. Il a été interdit à l'exportation et j'ai raté ce film, peut-être par ma faute en partie et aussi parce que je devais le tourner en Inde ou au Pakistan, et les producteurs m'ont réduit à l'État où j'étais obligé de le tourner, donc en Espagne. J'aurais pu évidemment refuser, mais je n'ai pas refusé. C'était un film dans lequel il y a des choses dont je suis très satisfait mais, dans l'ensemble, je ne suis pas parvenu à réaliser le projet tel que je devais le faire et, me rendant compte que l'âge venait et que je ne pouvais pas tout faire, j'ai renoncé à l'idée de faire du cinéma et je me suis consacré entièrement à mon œuvre littéraire et à la vie.

J'ai vécu longtemps à Majorque, où je reviens de temps en temps, et j'ai écrit la trilogie *Frère Océan*[1] : le premier volume s'appelant *La Danse*

---

1. Trilogie *Frère Océan* : *Pour Sganarelle* (essai, 1965), *La*

de Gengis Cohn, qui était une sorte de nouvelle version de la légende yiddish du dibbouk, le deuxième volume s'appelait *La Tête coupable* et le troisième volume, qui a paru il y a deux ans à peine, s'appelait *Charge d'âme.* J'ai donc réalisé en quelque sorte mon pari pour cette trilogie que j'avais annoncée dans un essai de six cents pages sur le roman qui s'appelait *Pour Sganarelle,* que personne n'a lu, et qui m'a permis néanmoins de trouver les sources de cette œuvre littéraire.

J'ai divorcé de Jean Seberg en 1970, en partie parce que l'idéalisme de cette jeune femme se heurtant à des déceptions continuelles était ce que j'avais déjà vécu jeune homme et je ne pouvais pas le tolérer, je ne pouvais pas le supporter, je ne pouvais pas le suivre, je ne pouvais pas lui tenir compagnie, je ne pouvais pas l'aider et j'ai capitulé en quelque sorte sans jamais cesser de m'occuper d'elle avec les conséquences tragiques[1] que le monde entier connaît aujourd'hui et dont je refuse absolument de parler désormais, après avoir donné

Danse de Gengis Cohn (1967), *La Tête coupable* (1968). *Charge d'âme,* publié également chez Gallimard en 1977, ne fait pas partie de cette trilogie.

1. Jean Seberg avait été retrouvée morte dans sa voiture à Paris, en août 1979, quelques mois avant cet entretien, des suites d'une surdose d'alcool et de médicaments.

à ce sujet une conférence de presse dont les répercussions en Amérique ont été certaines puisque les reproches que je faisais au FBI ont été confirmés par le chef du FBI lui-même, Monsieur Webster. Je ne veux plus en parler.

Et que dire d'autre? Mon travail continuait, je travaillais sept, huit ou neuf heures par jour sur mes romans. J'en ai publié une trentaine au total. J'ai donc écrit *Clair de femme*[1] et un roman qui s'appelle *Les Têtes de Stéphanie*[2], qui a été écrit il y a six ou sept ans et qui semble bien annoncer les drames du Moyen-Orient que l'on connaît notamment en Iran en ce moment. Je ne joue pas au prophète, mais vous savez l'écrivain se nourrit comme une éponge de l'air du temps et j'ai en quelque sorte senti venir les drames, les cruautés et aussi le côté délirant et quelquefois grotesque de cette situation que j'ai justement exprimée dans *Les Têtes de Stéphanie*.

Je me prépare en ce moment – enfin il est terminé et remis à l'éditeur – à sortir un nouveau roman qui s'appelle *Les Cerfs-volants*. Les

1. *Clair de femme*, Gallimard, 1977. Adapté au cinéma par Costa-Gavras en 1979.
2. Écrit sous le pseudonyme de Shatan Bogat et publié chez Gallimard en 1974. Gary n'évoque évidemment pas dans cet entretien les livres écrits sous le pseudonyme d'Émile Ajar, qui sera révélé juste après sa mort, quelques mois plus tard.

Cerfs-volants est un roman qui m'est très cher et très important parce que c'est un roman sur la mémoire historique des Français, la mémoire affective, c'est aussi le roman de la fidélité. Nous allons voir dans quelle mesure les jeunes générations et les lecteurs qui m'ont suivi jusqu'à présent vont me suivre dans ce roman-là qui doit sortir le 7 ou le 8 avril[1]. Il y a certainement, dans tout ce que je vous ai dit à propos de mes livres, certains titres que j'ai oubliés. Je voudrais simplement parler de *Charge d'âme*, dont je ne sais s'il a été lu suffisamment pour que je puisse me dispenser d'en parler. Il s'agissait en somme d'un roman de science-fiction où l'on trouve le moyen face à la crise de l'énergie de capter l'âme au moment où elle quitte le corps, de l'enfermer dans une machine et de s'en servir comme source d'énergie. Naturellement, qu'est-ce qu'il se passe ? On procède à la désintégration de l'âme et l'on arrive à quoi ? On arrive à faire une bombe d'une destruction toute-puissante à partir de l'âme humaine. C'est un roman qui résume, il me semble, en tout cas à mes yeux d'auteur, la situation mondiale d'aujourd'hui et je ne pense pas qu'il s'agissait d'une figure de style prise au pied de la lettre mais, malgré le côté apparemment fantasque

1. 1980, chez Gallimard. Le dernier livre publié de son vivant.

de ce roman, je crois qu'il est profondément réaliste et très proche de ce qu'il se passe dans le monde aujourd'hui.

Mon souci principal à l'heure actuelle, c'est l'éducation de mon fils et la continuation de mon œuvre littéraire. J'ai soixante-cinq ans[1], je ne puis donc rien prévoir en dehors du rétrécissement de l'horizon à tous les points de vue et simplement je constate, au fur et à mesure que j'avance dans la vie, un certain phénomène de l'éternel retour en ce sens que ce que je considère comme acquis est redécouvert par les nouvelles générations. On le voit dans le domaine littéraire d'une manière assez comique : tous les quinze ans, une nouvelle génération découvre Kafka, maintenant on vient de redécouvrir mon ami Albert Camus et on redécouvre Saint-Exupéry. Il y a une sorte de loi qui fait que chaque nouvelle génération n'a pas besoin de celle qui l'a précédée, ne croit pas à celle qui l'a précédée et à ses valeurs, mais la redécouvre elle-même, si bien par exemple que le retour des valeurs affectives à cet âge de la contraception et la pilule est tout à fait net. J'ai appris par les camarades de mon fils au lycée que par exemple un nouveau terme circule dans

1. Romain Gary est né le 8 mai 1914. Il mettra fin à ses jours le 2 décembre 1980, à l'âge de soixante-six ans.

les lycées. Il est utilisé aussi bien par les filles que par les garçons, c'est « celui-là ou celle-là est un ou une sexuel(le) ». Ils entendent par là un terme légèrement péjoratif en ce sens qu'il s'agit d'une personne, d'une fille ou d'un garçon, qui détache la sexualité de l'affectivité. C'est un retour à des valeurs permanentes, incontestablement.

Je vous ai dit au début de cet entretien que l'on vit moins une vie que l'on est vécu par elle. J'ai l'impression d'avoir été vécu par ma vie, d'avoir été objet d'une vie plutôt que de l'avoir choisie et en plus de cela, avec la notoriété, on est donc manipulé par la vie elle-même. Avec la notoriété vient un phénomène curieux qui est celui d'une image qui grâce aux médias et par l'intermédiaire de vos caméras, comme je suis en train de faire ici, s'établit dans le public et a fort peu de rapport avec la réalité de l'homme. Je m'aperçois tous les jours, dans tout ce que l'on écrit sur moi, que je ne me reconnais absolument pas dans cette image de marque que je traîne. Il y a une profonde différence de toute façon entre ce qu'écrit un auteur et lui-même. Un auteur met le meilleur de lui-même, de son imagination, dans le livre et garde le reste, « le misérable petit tas de secrets » comme disait Malraux, pour lui-même.

J'ai eu deux expériences de ce genre. J'ai écrit

un roman sur le déclin sexuel d'un homme, une allégorie du déclin de l'Occident qui s'appelle *Au-delà de cette limite, votre ticket n'est plus valable*[1]. Un signe que l'on voyait dans le métro partout, mais dans mon esprit il s'agissait d'une parabole, la sexualité me servant de prétexte, et il s'agissait en réalité du déclin de l'énergie sous toutes ses formes dans l'Occident. Il s'agit donc d'un homme qui a l'angoisse et la peur de l'impuissance, et je me suis aperçu, en entrant dans le bistrot familier de Paris, comme j'avais écrit le livre à la première personne, que tout le monde à l'unanimité a décidé que le personnage qui dit « je » et qui vit dans la hantise du déclin sexuel, c'est Romain Gary lui-même. Cela m'était bien égal et je me souviens, j'entrais dans une brasserie littéraire célèbre ici, il y a quelques années, après avoir publié ce livre, et j'ai vu une dame se pencher littéralement vers l'autre et faire littéralement cela [*Gary mime un sexe mou avec son doigt*]. C'était extrêmement comique, cela ne m'a touché en rien. Il y a un critique éminent qui a écrit qu'il a fallu beaucoup de courage à Romain Gary pour écrire ce livre avec tant d'authenticité. Autrement dit, l'impuissant de ce livre, le personnage angoissé par l'impuissance dans ce livre, c'était moi. Si je voulais être cynique, je dirais que cela a été une

1. Gallimard, 1975.

bonne opération sur le plan qui ne m'intéresse plus d'ailleurs à cet égard particulièrement, sur le plan sexuel, parce qu'à partir de ce moment les personnes de sexe féminin se sont divisées en plusieurs catégories : il y a celles qui voulaient absolument savoir si le personnage qui dit « je » dans le roman était Romain Gary lui-même, autrement dit si c'était vrai ou pas vrai, si j'étais impuissant ou pas. Deuxièmement, il y a eu les rédemptrices, celles qui se disaient : « Avec aucune, mais avec moi, il y arrivera. » Et finalement, il y a eu les jeunes filles qui disaient : « Chic alors, on va avoir un papa, on risque rien. » Et si j'étais un profiteur de ce genre de situations, j'aurais vraiment fait une très grande moisson dans ce domaine.

Et je vous dis ceci parce qu'il m'est arrivé de la même façon quelque chose de plus tragique. Quand j'ai écrit *Les Racines du ciel* – c'est donc l'histoire d'un homme qui défend les éléphants contre les chasseurs –, il y a eu un homme qui a commencé à m'écrire après ce livre, il s'appelait Raphaël Matta[1], et un beau jour j'ouvre *Paris-Match* et je vois la mort de Raphaël Matta qui a été tué par les braconniers en défendant les éléphants contre les chasseurs d'ivoire. On a dit deux choses : d'abord que j'étais respon-

---

1. Gardien de la réserve de Bouna en Côte-d'Ivoire, protecteur des éléphants, assassiné en 1959.

sable de sa mort, pas méchamment d'ailleurs, et ensuite peu à peu, quand on a commencé à écrire des études ou des textes sur mon livre, on a dit que je m'étais inspiré du personnage de Raphaël Matta pour écrire *Les Racines du ciel.*

Bref, vous constatez au contact des médias que moi, Romain Gary, je vivais en permanence avec un personnage de Romain Gary qui n'a strictement rien à voir avec la réalité de mon moi. D'abord mon passé historique, conditionné par l'histoire, la guerre, les blessures de guerre, les décorations, les bagarres et ensuite mes origines russes, etc., font qu'on fait de moi une espèce de cosaque casseur, agressif et violent, et il y a par exemple une légende dont je n'arrive absolument pas à me dépêtrer, c'est celle de grand buveur. Je n'ai jamais touché à l'alcool. Je bois à peine du vin et vous trouverez dans un journal un article disant : « J'ai rencontré Romain Gary au pied du Kilimandjaro, une bouteille de whisky à la main. » Une dame du monde a dit dans une émission : « Romain Gary, il est arrivé tellement saoul chez moi que j'ai dû le jeter dehors. » Et une troisième encore, l'autre jour, qui dit : « Romain Gary boit de plus en plus, mais maintenant cela commence à se voir. » C'est entièrement un personnage fabriqué de toutes pièces et ce qui me caractérise, précisément, c'est la phobie de l'alcool, et dans tous les domaines. Par exemple, en raison de mon attachement profond, éthique et spirituel au général de Gaulle, on a fait de moi une sorte de gaulliste engagé politique alors que je n'ai jamais fait de politique.

La seule chose qui m'intéresse, c'est la femme, je ne dis pas les femmes, attention, je dis la femme, la féminité. Le grand motif, la grande joie de ma vie a été l'amour rendu pour les femmes et pour la femme. Je fus le contraire du séducteur malgré tout ce que l'on a bien voulu raconter sur ce sujet. C'est une image totalement bidon et je dirais même que je suis organiquement et psychologiquement incapable de séduire une femme. Cela ne se passe pas comme ça, c'est un échange, ce n'est pas une prise de possession par je ne sais quel numéro artistique de je ne sais quel ordre, et ce qui m'a inspiré donc dans tous les livres, dans tout ce que j'ai écrit à partir de l'image de ma mère, c'est la féminité, la passion que j'ai pour la féminité. Ce qui me met parfois en conflit avec les féministes puisque je prétends que la première voix féminine du monde, le premier homme à avoir parlé d'une voix féminine, c'était Jésus-Christ. La tendresse, les valeurs de tendresse, de compassion, d'amour, sont des valeurs féminines et, la première fois, elles ont été prononcées par un homme qui était Jésus.

Or il y a beaucoup de féministes qui rejettent ces caractéristiques que je considère comme féminines. En réalité, on s'est toujours étonné du fait qu'un agnostique comme moi soit tellement attaché au personnage de Jésus.

Ce que je vois dans Jésus, dans le Christ et dans le christianisme, en dépit du fait qu'il est tombé entre les mains masculines, devenues sanglantes et toujours sanglantes par définition, ce que j'entends dans la voix de Jésus, c'est la voix de la féminité en dehors de toute question de religion et en dehors de toute question d'appartenance catholique que je puis avoir techniquement. Je puis donc simplement dire que mon rapport avec les femmes a été d'abord un respect et une adoration pour ma mère, qui s'est sacrifiée pour moi, et un amour des femmes dans toutes les dimensions de la féminité, y compris bien sûr celle de la sexualité. On ne comprendra absolument jamais rien à mon œuvre si l'on ne comprend pas le fait très simple que ce sont d'abord des livres d'amour et presque toujours l'amour de la féminité. Même si j'écris un livre dans lequel la féminité n'apparaît pas, elle y figure comme un manque, comme un trou. Je ne connais pas d'autres valeurs personnelles, en tant que philosophie d'existence, que le couple. Je reconnais que j'ai raté ma vie sur ce point, mais si un homme rate sa vie, cela ne veut rien dire contre la valeur pour laquelle il a essayé de vivre.

Je trouve que c'est ce que j'ai fait de plus valable dans ma vie, c'est d'introduire dans tous mes livres, dans tout ce que j'ai écrit, cette passion de la féminité soit dans son incarnation charnelle et affective de la femme, soit dans son incarnation philosophique de l'éloge et de la défense de la faiblesse, car les droits de l'homme ce n'est pas autre chose que la défense du droit à la faiblesse. Et si on me demande de dire quel a été le sens de ma vie, je répondrai toujours – et c'est encore vraiment bizarre pour un homme qui n'a jamais mis les pieds dans une église autrement que dans un but artistique – que cela a été la parole du Christ dans ce qu'elle a de féminin, dans ce qu'elle constitue pour moi l'incarnation même de la féminité. Je pense que si le christianisme n'était pas tombé entre les mains des hommes, mais entre les mains des femmes, on aurait eu aujourd'hui une tout autre vie, une tout autre société, une tout autre civilisation.

Pour le reste, que voulez-vous que je vous dise ? Je voudrais simplement avoir encore le temps de continuer dans la même direction, aussi longtemps que possible, et je le dis tout de suite, pas tellement pour écrire d'autres romans et en tirer je ne sais quelle gloire, mais simplement par amour de la féminité, par amour de la femme et je crois que l'on trouvera cet amour, on trouvera cette fidélité dans mon nouveau roman qui s'appelle *Les Cerfs-volants*. Et je ne voudrais simplement pas qu'il y ait plus tard, quand on parlera de Romain Gary, une autre valeur que celle de la féminité.

DU MÊME AUTEUR

AU-DELÀ DE CETTE LIMITE VOTRE TICKET N'EST PLUS VALABLE, *roman* (Folio n° 1048).

LES OISEAUX VONT MOURIR AU PÉROU. Cet ouvrage a paru pour la première fois sous le titre *Gloire à nos illustres pionniers* en 1962 (Folio n° 668).

UNE PAGE D'HISTOIRE et autres nouvelles, extrait de LES OISEAUX VONT MOURIR AU PÉROU (Folio 2 € n° 3759).

CLAIR DE FEMME, *roman* (Folio n° 1367).

CHARGE D'ÂME, *roman* (Folio n° 3015).

LA BONNE MOITIÉ. Comédie dramatique en deux actes.

LES CLOWNS LYRIQUES, *roman*. Nouvelle version de l'ouvrage paru en 1952 sous le titre *Les couleurs du jour* (Folio n° 2084).

LES CERFS-VOLANTS, *roman* (Folio n° 1467).

VIE ET MORT D'ÉMILE AJAR.

L'HOMME À LA COLOMBE, *roman*. Version définitive de l'ouvrage paru en 1958 sous le pseudonyme de Fosco Sinibaldi (L'Imaginaire n° 500).

ÉDUCATION EUROPÉENNE, *suivi de* LES RACINES DU CIEL *et de* LA PROMESSE DE L'AUBE. *Avant-propos de Bertrand Poirot-Delpech*, coll. « Biblos ».

ODE À L'HOMME QUI FUT LA FRANCE ET AUTRES TEXTES AUTOUR DU GÉNÉRAL DE GAULLE. *Édition de Paul Audi* (Folio n° 3371).

LE GRAND VESTIAIRE. Illustrations d'André Verret, coll. « Futuropolis/Gallimard ».

L'AFFAIRE HOMME. *Édition de Jean-François Hangouët et Paul Audi* (Folio n° 4296).

TULIPE OU LA PROTESTATION, coll. « Le Manteau d'Arlequin ».

LÉGENDES DU JE, coll. « Quarto ».

LE SENS DE MA VIE, *entretien* (Folio n° 6011).

LE VIN DES MORTS, *roman*, Cahiers de la NRF.

Composition Cmb
Impression Novoprint
à Barcelone, le 15 mai 2017
Dépôt légal : mai 2017
1ᵉʳ dépôt légal dans la collection : février 2016
ISBN 978-2-07-046601-6./Imprimé en Espagne.